Turner in the Alps

Cygne

LA CYGNE

Leave the drawing with me

Please Get me a Steel plate 9 ½ by 12

Turner in the Alps 1802

David Blayney Brown, Curator of the Turner Collection, Exhibition Organiser

A Tate Gallery Exhibition

Sponsored by

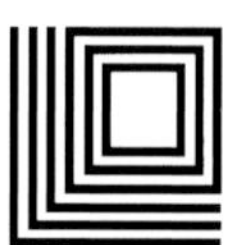

Lombard Odier & Cie

***Founded in** 1798*
a member of the
"Groupement des Banquiers Privés Genevois"

Published by order of the Trustees 1998
for the exhibition at the Tate Gallery
25 November 1998 - 14 February 1999

Also shown at:
Fondation Pierre Gianadda, Martigny, Switzerland
5 March - 6 June 1999

Published by Edipresse Imprimeries Réunies Lausanne s.a.

ISBN 2-88443-050-4

French translation: Dominique Darbois Clous

Printed in Switzerland by
Edipresse Imprimeries Réunies Lausanne s.a.

front cover
Lake of Brienz
c.1809 (detail, cat. no. 64)

frontispiece
Martigny
c.1826 (cat. no. 55)

Sponsor's Foreword

The first tour that Turner made of Switzerland in 1802, from which many of his drawings are shown in the exhibition *Turner in the Alps*, is justly considered to have marked an important step in his artistic development. Was it the Swiss landscape that transformed this talented English painter, who had so far borne the stamp of academicism, into a true artist giving free rein to his creative impulse?

In any event, this exhibition is revealing not only of Turner's memory, but also of his imagination, showing how his sketches taken on the spot were developed—sometimes years later—into the finished oils and watercolours that were shown to the public.

Founded four years before Turner's first Swiss tour, our firm is delighted to give its support to this exhibition at the Tate Gallery, which pays homage to one of the greatest and most compelling painters that Britain has given to art.

Lombard Odier & Cie

Founded in 1798
a member of the
"Groupement des Banquiers Privés Genevois"

Foreword

Of all the great artists of the Romantic period, J.M.W. Turner was among the most widely travelled. In this as in so many respects, he stands out as exceptional, and certainly in striking contrast to the other great British landscape painter of the age, John Constable, who never went abroad at all. The experience of diverse landscapes and natural phenomena, an insatiable curiosity about new places across the sea or over the horizon, lie at the heart of his creative development. They took him far, not just in distance travelled, but from the conventional aesthetics of classicism or the Picturesque that he had learned as a young man, to the liberated late style that is essentially timeless, as relevant today as it was challenging when new.

This exhibition looks at a short but crucial moment in Turner's career when that process of dynamic change gained real momentum. In the summer of 1802 he made a tour of the Alps of Savoy, Dauphiné and Switzerland. It was his first trip abroad, and took place in the lull in the Napoleonic Wars that followed the Peace of Amiens. Many British artists went to France that summer. Most went no further than Paris, but while Turner spent time in the capital, it was characteristic of him that he should give more time and energy to a scenic tour that would inspire and refresh him as a landscape painter. Although we now know that his tour was not altogether an independent exercise, but was undertaken with the support and company of a patron, it followed from earlier tours of mountain scenery in Wales and Scotland and introduced Turner to the most dramatic scenery in Europe at a time when he was perfectly ripe for the experience. As he drew in the sketchbooks he had with him, his techniques and conception of what landscape meant advanced almost from day to day, and his training and preconceptions were cast aside in favour of an instinctive, visceral response. The excitement in his drawings made on the spot is palpable.

Almost all the drawings from the 1802 tour are in the Turner Bequest at the Tate Gallery. When Léonard Gianadda proposed a Turner exhibition in Martigny, David Blayney Brown, Curator of the Turner Collection, suggested that it should focus on his first Alpine tour, both because of its unique significance and because it was in that year that Turner actually visited the town. We hope that seeing Turner's drawings in such close proximity to the places where they were made will be a richly rewarding experience. When seen at the Tate Gallery, the show falls into an occasional series devoted to individual Turner tours of particular importance.

The exhibition has been selected and catalogued by David Blayney Brown. Besides the drawings from the Turner Bequest, he has included examples of the finished watercolours that Turner made from them for exhibition and sale in following years, which have been borrowed from other collections. We should like to offer our deep gratitude to all these lenders, Abbot Hall Art Gallery, Courtauld Gallery, The Fitzwilliam Museum, Sir John Soane's Museum and The Whitworth Art Gallery. At the Tate Gallery, many have helped with the preparation of material for the exhibition. Outside the Gallery, David Blayney Brown would like particularly to acknowledge the recent research of David Hill, and his help and advice, and the part played by Luke Herrmann in first interesting him in this subject some twenty-five years ago. We have welcomed this opportunity to work with colleagues in Martigny and are indebted in particular to Léonard Gianadda for his enthusiasm and support for this project.

Nicholas Serota
Director, Tate Gallery

Avant-propos

De tous les grands peintres de la période romantique, J.M.W. Turner est l'un de ceux qui ont le plus voyagé. En cela comme dans beaucoup de domaines, il apparaît exceptionnel, et offre en tout état de cause un saisissant contraste avec l'autre grand peintre paysagiste britannique de l'époque, John Constable, qui, lui, n'est jamais parti à l'étranger. Son expérience des paysages variés et des phénomènes naturels, son insatiable curiosité des pays nouveaux situés par-delà les mers ou l'horizon sont au cœur de son épanouissement créatif. Elles vont l'emmener loin, pas seulement en termes de distances géographiques, mais aussi par rapport à l'esthétique conventionnelle, apprise dans sa jeunesse, du classicisme ou du Pittoresque: jusqu'à ce style libéré, fondamentalement hors du temps, aussi actuel aujourd'hui qu'il fut audacieux alors.

Cette exposition s'attache à une période brève mais cruciale dans la carrière de Turner, période pendant laquelle cette dynamique évolutive s'est réellement engagée. Au cours de l'été 1802, il effectue un périple dans les Alpes, parcourant la Savoie, le Dauphiné et la Suisse. C'est son premier voyage à l'étranger, qui a lieu pendant la trêve qui suivit la Paix d'Amiens, signée entre la France et l'Angleterre. Cet été-là, nombreux sont les peintres britanniques qui visitent la France. La plupart ne vont pas plus loin que Paris. Turner séjourne un moment dans la capitale, mais, typiquement, va consacrer plus de temps et d'énergie à la découverte d'une nature spectaculaire, susceptible de l'inspirer et de lui apporter une expérience nouvelle comme peintre paysagiste. Bien que nous sachions aujourd'hui que ce périple n'est pas un exercice entièrement indépendant et qu'il a été entrepris grâce à l'appui d'un client qui accompagnera l'artiste, il fait suite à de précédents voyages dans les paysages montagneux du Pays de Galles et d'Ecosse, et dévoile à Turner les sites plus spectaculaires du continent au moment même où le peintre est mûr pour cette expérience. Turner dessine dans les carnets qu'il emporte avec lui, et l'on voit évoluer pratiquement de jour en jour sa technique et la conception même de ce qu'est pour lui le paysage. Il s'écarte de sa formation et de ses théories initiales au bénéfice d'une réaction instinctive et viscérale. Les dessins réalisés sur place vibrent d'une excitation palpable.

Le Legs Turner de la Tate Gallery regroupe presque tous les dessins du voyage de 1802. Lorsque Léonard Gianadda a lancé l'idée d'une exposition Turner à Martigny, David Blayney Brown, conservateur de la Collection Turner, a proposé de mettre l'accent sur ce premier voyage dans les Alpes, d'abord à cause de son importance fondamentale, mais aussi parce que Turner avait visité Martigny à cette occasion. Pouvoir admirer les dessins de Turner si près des lieux qui les ont inspirés sera, nous l'espérons, une expérience gratifiante et enrichissante. Ces œuvres seront présentées à la Tate Gallery dans le cadre d'une série d'expositions consacrées aux voyages marquants effectués par Turner.

David Blayney Brown a pris la responsabilité du choix des œuvres, ainsi que du catalogue. Il a ajouté aux dessins du Legs Turner des exemples d'aquarelles achevées, réalisées par l'artiste à partir des dessins dans l'intention de les exposer et de les vendre les années suivantes, et qui ont été empruntées à d'autres collections. Nous tenons à exprimer notre vive gratitude envers tous les établissements qui ont contribué à ce prêt: Abbot Hall Art Gallery, Courtauld Gallery, The Fitzwilliam Museum, Sir John Soane's Museum et The Whitworth Art Gallery. De nombreuses personnes à la Tate Gallery ont participé à la préparation du matériel pour l'exposition. En dehors de la Tate Gallery, David Blayney Brown tient tout spécialement à souligner les recherches récentes de David Hill, ainsi que l'aide et les conseils que ce dernier lui a apportés, et le rôle joué par Luke Herrmann, qui l'a, il y a environ vingt-cinq ans, intéressé pour la première fois au sujet. Nous avons accueilli avec bonheur cette occasion de travailler avec nos collègues de Martigny, et sommes particulièrement reconnaissants envers Léonard Gianadda pour l'enthousiasme avec lequel il a soutenu le projet.

Nicholas Serota
Directeur de la Tate Gallery

Turner's Grand Tour: the Alps and Switzerland in 1802

by David Blayney Brown

Historical and Personal Background

In the summer of 1802, Joseph Mallord William Turner was 27 years old. He was already at the top of his profession, generally regarded as the most outstanding British painter of his generation and its most important landscape painter. In February he had celebrated his election as Academician at London's Royal Academy. Since the early 1790s he had built his reputation first as a topographical draughtsman and watercolourist, then, from the middle of the decade, as an oil painter. His technical skill and virtuosity had dazzled his colleagues and attracted the interest of the leading connoisseurs and collectors, and no less striking had been his dedication in travelling widely and regularly in search of subject matter. He had by now established the professional routine that he would maintain for more than forty years—touring and sketching in the summer and autumn, and working in his studio in the winter on pictures and watercolours for the London exhibitions the following spring.

So far, Turner's travels had been confined to his own country. North Wales and Scotland—the latter as recently as the summer of 1801—had marked the extent of his excursions. Travelling abroad had been out of the question since the outbreak of war with France in 1793. In March 1802, however, the clouds of war suddenly lifted when a peace treaty was signed at Amiens. A year earlier, William Pitt had been succeeded as the British Prime Minister by Henry Addington, whose administration, pressed by war-weariness and economic difficulties, had sued for peace. France, for her part, agreed various concessions and withdrawals to which London believed—mistakenly as it turned out—she was firmly committed by an earlier Treaty of Lunéville. This had been concluded between France and Austria, but France would soon announce that these provisions were not formally incorporated in the new treaty with Britain, and resume her expansionist policies accordingly. Thus during the summer and autumn of 1802, it became clear that the peace was unsound, but it was not until the following May that the British once again declared war.

Le Grand Tour de Turner: les Alpes et la Suisse en 1802

par David Blayney Brown

Contexte historique et biographique

Nous sommes en été 1802, Joseph Mallord William Turner a 27 ans. Il est déjà au faîte de son art, et il est généralement considéré comme le plus grand peintre britannique de sa génération, et le meilleur paysagiste du royaume. Le mois de février l'a vu entrer comme académicien à l'Académie royale de Londres. Depuis le début des années 1790, il s'est forgé une réputation, d'abord comme dessinateur et aquarelliste topographe, puis, autour de 1795, comme peintre d'huiles sur toile. Sa technique et sa virtuosité remplissent ses collègues d'admiration et attirent l'attention des plus grands connaisseurs et collectionneurs. Non moins remarquable est sa détermination à entreprendre régulièrement des voyages en quête de sujets d'inspiration; il a dès maintenant établi les bases d'une routine professionnelle qui sera la sienne pendant plus de quarante années: en été et en automne, il voyage et dessine; en hiver, il travaille dans son atelier aux toiles et aquarelles qu'il présentera aux expositions londoniennes du printemps suivant.

Jusqu'à présent, les voyages de Turner se sont bornés à son propre pays. Le nord du Pays de Galles et l'Ecosse, visitée pendant l'été 1801, constituent les limites de ses pérégrinations. Depuis 1793, début de la guerre contre la France, voyager à l'étranger est hors de question. Mais, en mars 1802, les nuages du conflit se dispersent soudain avec la signature de la Paix d'Amiens. Un an plus tôt, Henry Addington avait succédé à William Pitt au poste de Premier Ministre de Grande-Bretagne, et, sous la pression du pays éreinté par la guerre et les difficultés économiques, son gouvernement avait entrepris des démarches pour la paix. De son côté, la France avait accepté diverses concessions et des retraits territoriaux, auxquels Londres pensait (à tort, on s'en rendra compte par la suite) qu'elle était résolument contrainte par le précédent Traité de Lunéville. Ce dernier avait été conclu entre la France et l'Autriche, mais celle-là devait bientôt annoncer que ses dispositions ne seraient pas officiellement annexées au nouveau traité avec la Grande-Bretagne, et qu'elle reprendrait en conséquence sa

Meanwhile, fourteen months' lull in the fighting had provided for urgent economic action at home, and, for those with the resources, the chance to cross the Channel. Among them was Turner.

He was far from alone. Such had been the frustrations of the extended war, and the curiosity to see the new, egalitarian France of the First Consulate in action, that there was a flood of visitors. Most headed for Paris, where the British Embassy reported 5,000 of them at one point that summer. They included a number of liberals and members of the Whig party who had sympathised with the ideals of the Revolution and the reforming policies of Napoleon. Also prominent in this peaceful invasion were artists. Senior members of the London Royal Academy decamped to Paris in force, eager to inspect the work of their French colleagues and to study the great public collections of art in the Louvre, where the former royal collections had been joined by the accumulated trophies of Napoleon's campaigns. They were headed by their president, the history painter Benjamin West, who met Napoleon and now contributed an example of his own work to the Salon.

In London, nothing remotely resembling the Musée Napoléon existed. It was not simply a question of scale; there was no public collection of master painting at all. Although Britain was full of great pictures, and London had recently emerged as the main market for the old aristocratic collections dispersed after the Revolution—thus laying the foundations for its modern eminence as a centre of the art trade—works of art remained concentrated in private hands. Through their Academy, artists constantly lamented the lack of a public gallery where they could study at leisure, and there was a general feeling that one was needed to raise the public taste. But as yet it was left to collectors and connoisseurs—still mainly noblemen—to supply the need by opening their private galleries by ticket or for a small charge.

The relationship between artists and the old masters, and the efforts of connoisseurs to influence it, was contentious. The question came, moreover, to focus exceptionally on Turner, who was about to emerge as the most old masterly artist in London. Some believed him guilty of mere copying or pastiche, others that he parodied the masters he professed to admire. From early in the new century, there was hardly a picture of Turner's that was not in some sense touched by these arguments. But what, it may be asked, have they to do with a tour of Alpine scenery, the real subject of this essay and exhibition? In truth, a great deal.

Already in the late 1790s, Turner had attracted attention for his extraordinary interest in the old masters—an interest that amounted to a desperate yearning to match, then to

politique expansionniste. C'est ainsi qu'au cours de l'été et de l'automne 1802, on sentait clairement que la paix était menacée, mais les Anglais ne déclareront à nouveau la guerre qu'au mois de mai suivant. Une trêve de quatorze mois avait permis au Gouvernement britannique d'intervenir vigoureusement sur le plan économique et, pour ceux qui en avaient les moyens, ouvert la possibilité de traverser la Manche. Turner faisait partie de ceux-là.

Il était loin d'être le seul. La frustration générée par cette guerre interminable et l'envie de découvrir la nouvelle France égalitaire du Consulat étaient si grandes que les visiteurs étaient légion. La plupart se rendaient à Paris. Cet été-là, l'Ambassade de Grande-Bretagne en dénombre 5000 à un moment donné. Parmi eux se trouvent quelques libéraux et des whigs, qui sympathisent avec les idéaux de la Révolution et la politique réformiste de Bonaparte. Les artistes peintres contribuaient largement aussi à cette invasion pacifique. Des membres respectés de l'Académie royale de Londres partaient en nombre pour Paris, impatients d'examiner les travaux de leurs collègues français et d'étudier les grandes collections publiques de peinture du Louvre, où, aux anciennes collections royales, s'étaient ajoutés les trophées amassés au cours des campagnes de Bonaparte. A leur tête figurait le président Benjamin West, peintre de scènes historiques, qui devait rencontrer Bonaparte et présenter à cette occasion une de ses œuvres au Salon.

Rien de comparable à Londres, même de loin, au «Musée Napoléon». Il ne s'agissait pas purement d'une question de dimension. Simplement, il n'y avait aucune collection publique de grandes toiles en Grande-Bretagne. On y trouvait des tableaux superbes à foison, et Londres tenait depuis peu le premier rang du marché des anciennes collections aristocrates, dispersées au lendemain de la Révolution (établissant ainsi les fondations de sa position actuelle comme centre du marché de l'art). Les œuvres d'art étaient surtout entre les mains de particuliers. Par l'intermédiaire de leur Académie, les peintres se plaignaient constamment de l'absence de musées publics, où ils pourraient étudier à loisir. D'après le sentiment général, c'était une condition nécessaire pour permettre au goût du public d'évoluer. Mais la réponse à cette attente restait, pour l'instant encore, au bon vouloir des connaisseurs et des collectionneurs, des nobles pour la plupart, choisissant d'ouvrir leurs galeries privées sur invitation ou contre une modeste somme.

La fréquentation des grands maîtres par les peintres, et les efforts des connaisseurs pour la promouvoir, portait en germe la controverse. Les regards se tournaient tout particulièrement vers Turner, à la veille d'apparaître comme le peintre de Londres le plus influencé par les anciens.

outstrip them. In the houses of great collectors like John Julius Angerstein and William Beckford, he was observed in tears of frustration in front of pictures by Claude—always the greatest star in his firmament of old masters—because, as he said, he would never be able to paint like them. But he knew that he must try, and his evident ambition moved his admirers to give him opportunity, as when, in 1800, the future Duke of Bridgewater commissioned him to paint a companion to his marine by Willem van de Velde, newly acquired from the Orleans Collection. No other young artist was so willing to build his reputation by combining his own identity with another.

For collectors with rooms full of old masters, this was very appealing, but it was clear that they admired him for more than a gift for imaginative imitation. It had been for his skills as a topographical watercolourist that Turner had first come to the attention of men like Beckford or Sir Richard Colt Hoare; they commissioned views of their houses and estates, but soon saw that he had larger ambitions, which indeed were often sparked by their own experiences and collections. Older men like these had made the Grand Tour before the war, accompanied by artists who recorded their travels and instructed them in their own amateur efforts as draughtsmen. Beckford had travelled in Switzerland in 1782 with John Robert Cozens, whose Alpine watercolours Turner knew and greatly admired,[1] while Hoare had collected watercolours of Continental scenery by the Swiss Louis Ducros.[2] For Turner, impressionable and very conscious of his own defects of education, their cultivated taste as expressed in their own collections was powerfully overlaid with the romance of travel. In their houses, Turner raised his eyes to new horizons.

His patrons were conscious of their responsibility. It was apparently the Earl of Yarborough, whose estate Turner had visited in 1798, who took the initiative in deciding, when the Amiens peace came, that Turner should be given financial assistance to visit the collections in Paris. Turner had doubtless impressed him by his attention to his pictures by Claude, Salvator Rosa and other painters; and now, with two other 'noblemen', Yarborough subscribed to send him 'to study on the Continent the works of the great masters'. He also stood as referee for Turner's passport, issued on 12 July. The other 'noblemen' have not so far been identified, but they were presumably men like Beckford or Colt

[1] On Cozens and Beckford see Kim Sloan, *Alexander and John Robert Cozens. The Poetry of Landscape*, exh. cat., Victoria and Albert Museum, London, and Art Gallery of Ontario, 1986-7, pp. 138-57.

[2] On Ducros, Colt Hoare and Turner see most recently Lindsay Stainton, 'Ducros and the British' in *Images of the Grand Tour. Louis Ducros 1748-1810*, exh. cat., Iveagh Bequest, Kenwood, The Whitworth Art Gallery, Manchester, Musée cantonal des Beaux-Arts, Lausanne, 1985-6, pp. 26-30.

Certains le jugeaient coupable de les copier purement et simplement, ou de les pasticher; d'autres pensaient qu'il singeait les maîtres qu'il disait admirer. Juste après le tournant du siècle, il n'y a pratiquement pas de tableau de Turner qui échappe peu ou prou à ces critiques. On se demandera peut-être quel rapport cela présente avec la découverte des paysages alpins, véritable sujet de cet article et de l'exposition. En vérité, cela se tient.

Dès la fin des années 1790, Turner avait déjà attiré l'attention par l'intérêt très vif qu'il portait aux maîtres anciens, et qui se manifestait par un désir effréné de les égaler pour pouvoir ensuite les dépasser. On l'avait vu, dans les manoirs de grands collectionneurs comme John Julius Angerstein ou William Beckford, pleurer de rage devant des tableaux de Claude Lorrain, toujours la plus belle étoile dans son firmament des grands maîtres, parce que, disait-il, il n'arriverait jamais à peindre comme cela. Mais il savait qu'il lui fallait essayer, et cette flagrante ambition incitera ses admirateurs à lui offrir des occasions. Ainsi, en 1800, le futur duc de Bridgewater lui passe commande du pendant d'une marine de Willem Van de Velde qu'il venait d'acquérir dans la collection des Orléans. Aucun autre jeune peintre ne se montrait aussi enclin que Turner à se forger une réputation en se coulant dans le moule d'un autre.

L'idée était séduisante pour les collectionneurs dont les murs étaient couverts de toiles de maîtres, mais il est clair qu'ils admiraient Turner pour autre chose que son talent d'imitateur inspiré. C'est son savoir-faire d'aquarelliste topographe qui a tout d'abord attiré l'attention de clients comme Beckford ou Sir Richard Colt Hoare; ils lui commandent des vues de leurs manoirs et de leurs propriétés, mais ils se rendent rapidement compte que Turner nourrit des ambitions plus larges, d'ailleurs souvent fondées sur leur propre expérience et leurs collections personnelles. Ces hommes, plus âgés, avaient effectué leur Grand Tour avant la guerre, en compagnie de peintres qui illustraient leurs voyages et les guidaient dans leurs propres tentatives de dessinateurs amateurs. En 1782, Beckford était parti pour la Suisse avec John Robert Cozens[1], dont Turner connaissait, et admirait beaucoup, les aquarelles des Alpes. Hoare, pour sa part, collectionnait des aquarelles du peintre suisse Louis Ducros[2], représentant des paysages du continent. Pour Turner, impressionnable et très conscient des carences de sa propre éducation, le goût cultivé qu'illustraient leurs

[1] Cozens et Beckford: voir Kim Sloan, *Alexander and John Robert Cozens. The Poetry of Landscape*, catalogue d'exposition, Victoria and Albert Museum, Londres, et Art Gallery of Ontario, 1986-1987, pp. 138-157.

[2] Ducros, Colt Hoare et Turner: voir le récent article de Lindsay Stainton, «Ducros and the British», *in*: *Images of the Grand Tour. Louis Ducros 1748-1810*, catalogue d'exposition, Legs Iveagh, Kenwood, The Whitworth Art Gallery, Manchester, Musée cantonal des Beaux-Arts, Lausanne, 1985-1986, pp. 26-30.

Hoare—it may be no coincidence that one of the sketchbooks Turner was to take to the Alps had already been used at Beckford's country estate, Fonthill[3]—or friends or neighbours of Yarborough whom the Earl had cajoled into putting up funds. One candidate, it has been suggested, might be the Earl of Darlington of Raby Castle, for it was he who stood as referee for a passport for his near neighbour in County Durham, Newbey Lowson of Witton-le-Wear, who was to be Turner's travelling companion to Paris and on his Alpine tour. Another could be Walter Fawkes of Farnley Hall in Yorkshire, in future years one of Turner's greatest friends and patrons, for he was to acquire the majority of the finished watercolours of Switzerland and the Alps that Turner made after his return.

Lowson was presumably not one of the original consortium, but he could well have been known to one of its members, and have been deputed to represent its interests and manage its funds. In one of the passages in Walter Thornbury's 1862 biography of Turner that enabled Cecilia Powell, in a brilliant piece of detective work, to identify Lowson as Turner's travelling companion in 1802, he is described as the 'paymaster' of the tour, and a pocket book with accounts of the expenses was known at least in 1894.[4] Yet though Lowson was certainly present in Paris, and must have accompanied Turner on his visits to the Louvre, his own interests were less narrowly historical than those of the 'noblemen', and it would be his concerns that were to dominate the expedition and prove so fruitful for Turner's own development.

Lowson was eighteen months older than Turner. He celebrated his twenty-ninth birthday in early September 1802, while in Switzerland. He was a prosperous country gentleman with cultivated tastes. Men of his class, before the war, would automatically have gone on the Grand Tour to the Continent, but he had been born just too late, and the interests in travel, history and antiquities that were his birthright had been turned inwards, towards his own country. He was a keen antiquary and amateur draughtsman who doubtless made the standard picturesque tours in Britain, but must have longed to travel further. In fact he was to go to the Continent twice, not only in 1802 but again, this time with Lord Darlington, in 1816; on this second visit he kept a journal, but the record of his first expedition was, as far as we know, a visual one, for he must have made his own drawings under Turner's instruction as he travelled.

[3] *Fonthill* sketchbook (Tate Gallery, Turner Bequest; XLVII); originally a large, upright book with gilt-edged pages, its contents are now separated.

[4] For Thornbury's observations, and a fuller account of Lowson, see Cecilia Powell, 'Turner's Travelling Companion of 1802: A Mystery Resolved?', *Turner Society News*, no. 54, February 1990, pp. 12-5.

collections privées se teintait fortement du romantisme des voyages. Au sein de leurs demeures, le regard de Turner se tournait vers des horizons nouveaux.

Ses clients étaient conscients de leurs responsabilités. C'est apparemment le comte de Yarborough, sur les terres duquel Turner avait séjourné en 1798, qui prend au moment de la Paix d'Amiens l'initiative d'une aide financière à Turner, afin qu'il puisse découvrir les collections parisiennes. L'attention prêtée par Turner aux toiles de Claude Lorrain, de Salvator Rosa et d'autres peintres que le comte possédait l'avait sans nul doute impressionné; c'est pourquoi, avec deux autres «gentilshommes», Yarborough ouvre une souscription pour l'envoyer «étudier sur le continent l'œuvre des grands maîtres». Il se porte aussi garant du passeport de Turner, daté du 12 juillet. Les deux autres «gentilshommes» demeurent à ce jour inconnus, mais il devait s'agir de Beckford ou de Colt Hoare. Ce n'est sans doute pas une coïncidence si l'un des carnets de croquis que Turner devait emporter dans les Alpes avait déjà servi au domaine campagnard de Beckford, Fonthill[3]. Ou alors, des amis ou des voisins de Yarborough, que ce dernier avait persuadés de verser des fonds. L'un des souscripteurs pourrait être le comte de Darlington, du Château de Raby; en effet, c'est lui qui se porte répondant du passeport de son proche voisin du comté de Durham, Newbey Lowson, de Witton-le-Wear, qui sera un autre compagnon de route de Turner pour le séjour parisien et le circuit alpin. Un autre pourrait être Walter Fawkes, de Farnley Hall dans le Yorkshire, l'un des plus grands amis et mécènes de Turner pour les années suivantes, qui devait acquérir la majeure partie des aquarelles de Suisse et des Alpes achevées par Turner à son retour.

Lowson ne faisait vraisemblablement pas partie du groupe des mécènes d'origine, mais il se pourrait bien qu'il ait connu l'un d'eux, et ait été mandaté pour représenter ses intérêts et gérer ses fonds. Dans l'un des passages de la biographie de Turner de 1862 par Walter Thornbury, qui a permis à Cecilia Powell, par un brillant travail de détective, d'identifier Lowson comme le compagnon de voyage de Turner en 1802, il est décrit comme «trésorier» du Grand Tour. On a retrouvé depuis au moins 1894 un carnet tenant la comptabilité des dépenses[4]. Lowson était certainement présent à Paris, et doit avoir accompagné Turner pour ses visites du Louvre, mais ses centres d'intérêt étaient moins strictement historiques que ceux des «gentilshommes»,

[3] *Carnet de croquis Fonthill* (Tate Gallery, Legs Turner; XLVII); à l'origine, un grand carnet au format vertical aux pages dorées sur tranche; le contenu en a été détaché.

[4] Pour les remarques de Thornbury et un rapport plus détaillé de Lowson, voir Cecilia Powell, «Turner's Travelling Companion of 1802: A Mystery Resolved?», *Turner Society News*, n° 54, février 1990, pp. 12-15.

Even since it has been known that the two men travelled together, Turner's tour has usually been discussed as if it were an independent undertaking, the logical progression from earlier tours of mountainous scenery in Wales and Scotland. So it proved to be, for Lowson's interests at this point coincided with his own. But Lowson came from a milieu used to the professional services of artists and drawing masters; the practical reality surely was that Turner was commissioned to accompany his patron and 'paymaster', rather as an artist like Cozens had accompanied a Beckford before the war. The itinerary and timetable would have been largely in Lowson's hands. For him, as for Turner, this trip to Paris and the Alps represented in effect a reduced Grand Tour—as grand as time and circumstances allowed, it would take them at least in sight of Italy and on to what is today Italian soil; as for the art treasures of Italy, many were now in Paris anyway.

Since so much of the trip would be spent in Lowson's company and devoted to his interests, we may assume that he paid his own stipend to Turner; the consortium's interest, as we have seen, was in Turner's Paris stay. We may also guess that these funds were generous. Turner had already given up most of his activities as a drawing master because they paid too poorly, and on similar grounds he had also turned down the offer of accompanying the Earl of Elgin—the future saviour of the Parthenon marbles—on his latest mission to Athens. His terms were already very demanding. He may have made some allowance for his own eagerness to go to France and Switzerland—but only some.

In later years, Turner was to become an indefatigable traveller in continental Europe. That he could be so adventurous despite poor command of languages (he tried, in a highly individualistic mix of French and Italian, but had no natural gift) must be owed in large part to an almost aristocratic confidence imbibed from Lowson on this first trip—and also to the wealth of geographical and practical information it imparted from reliable sources. That confidence seems to have stayed with him, but he never repeated the comforts provided in 1802. Later trips were made alone, as cheaply as possible. But this summer he was not paying, and preparations were made in Paris for travelling in style. A carriage, a cabriolet, was bought for thirty-two guineas (it was returned and sold on the way back), and a Swiss servant and guide hired; he was paid five livres a day and bore his own expenses. Turner had clearly expected such facilities, for he had brought some large, heavy, leather-bound sketchbooks with him from England, and bought (or got the servant to buy) others. Besides plentiful resources, all this provisioning is indicative of planning; there was nothing haphazard about this tour. How very different had been the poet William Wordsworth's expedition twelve years before, when he had walked across France

et ce sont ses idées qui devaient influencer l'expédition et se révéler si productives pour le développement personnel de Turner.

Lowson a dix-huit mois de plus que Turner. Il fête son vingt-neuvième anniversaire début septembre 1802, lors du voyage en Suisse. C'est un gentilhomme campagnard prospère, aux goûts cultivés. Avant la guerre, les jeunes gens de sa classe sociale effectuaient systématiquement un Grand Tour du continent, mais il était né juste un peu trop tard, et le goût du voyage, de l'histoire et des choses du passé qu'il avait acquis par sa naissance s'était reporté sur l'intérieur, sur son pays natal. Collectionneur passionné d'antiquités, dessinateur amateur, il emprunte les circuits pittoresques traditionnels de Grande-Bretagne. Mais il désire certainement pousser ses pas plus loin. De fait, il va se rendre par deux fois sur le continent, non seulement en 1802 mais aussi en 1816, cette fois en compagnie de Lord Darlington. Durant son second séjour, il tient un journal, mais, à notre connaissance, le rapport du premier périple est resté simplement visuel. Il a sans doute réalisé ses dessins sur les indications de Turner au fur et à mesure du voyage.

Même depuis que l'on sait que les deux hommes voyageaient de concert, on traite souvent du périple de Turner comme s'il s'agissait d'une entreprise indépendante, suite logique de ses circuits précédents au cœur des paysages montagneux du Pays de Galles et d'Ecosse. Cette supposition s'avère dans la mesure où les intérêts de Lowson dans ce domaine coïncidaient avec les siens. Mais Lowson était issu d'un milieu habitué aux services professionnels de peintres et de maîtres de dessin: on en déduira logiquement que, dans les faits, Turner a certainement été commandité pour accompagner son client et «trésorier», un peu comme le peintre Cozens avait accompagné l'aristocrate Beckford avant la guerre. On peut penser que le choix du circuit et des déplacements est pour une grande part revenu à Lowson. Pour lui comme pour Turner, ce voyage à Paris et dans les Alpes représente en fait un Grand Tour en réduction, aussi «grand» que le permettent les circonstances et le délai disponible. Tout au moins s'accorderaient-ils un petit aperçu de l'Italie, en foulant ce qui est effectivement aujourd'hui un petit morceau de terre italienne. Quant aux trésors d'art italiens, beaucoup se trouvaient alors à Paris.

Puisqu'une si grande partie du voyage se passerait en compagnie de Lowson et suivrait ses inclinations, on peut penser que celui-ci a versé à Turner une forme de salaire. Comme nous l'avons vu, le groupe de mécènes s'intéressait, pour sa part, au séjour parisien de Turner. On peut aussi penser que les sommes ont été généreuses. Turner avait déjà abandonné la plupart de ses activités de maître de dessin parce que la rémunération en était trop faible.

to the Alps at the rate of about thirty miles a day. Both Turner and Lowson, as they set off on a similar route south, could have fancied themselves Grand Tourists from before the war. Turner himself, while doubtless conscious of his duties to his companion, could travel as free of practical concerns as of financial constraints, able instead to work and concentrate on what he saw.

By the time he returned to London, he had amassed a body of work that has never been matched in its portrayal of Alpine sublimities; even in the vast Romantic iconography of the mountains, stretching in Britain alone from his pictures and drawings to the poetry of Wordsworth, Shelley or Byron, there is nothing to compare. No painter before Turner, and none since, has so truly grasped the wildness and grandeur of the mountains, their beauty, their savagery and their tragic loneliness. And here, of course, he left the Grand Tourists far behind. They had hurried through the Alps to acquire polish and sample the pleasures of Italy, but for Turner they were an education in themselves, confirming—if confirmation were needed—his commitment to the art of landscape, and raising his conception and techniques to new heights. This exhibition shows these revelatory processes at work in the drawings of 1802 itself, and something at least of their spectacular aftermath in his art as a watercolourist in the following years.

The Alpine Tour: Itinerary and Conditions

This is not the place to discuss Turner's journey through France, nor his second and longer stay in Paris from the end of September when he did his work in the Louvre. Though his studies there had been the original purpose of the trip, Lowson's involvement had given it another and no less welcome dimension, best undertaken first while the weather—not to mention the peace—still held. For both men, the main object was mountain scenery, and neither can have wished to linger longer than necessary on the way. 'Turner sets off for Paris tomorrow on his way to Swisserland', his fellow painter Joseph Farington had noted in his diary for 14 July, stating where his friend's priorities now lay.[5]

The chosen route was in some respects conventional enough, following old Grand Tour paths to Italy but then not proceeding that far; the difference was that Turner and Lowson turned back, concentrating mainly on Switzerland itself, though Turner later regretted not taking an extra day or two from Aosta to get as far as Turin. Apart from their scenic preferences, they cannot have wanted to risk being

[5] *The Diary of Joseph Farington*, ed. Kenneth Garlick & Angus Macintyre, V, August 1801 - March 1803, 1979, 14 July 1802, p. 1797.

Pour les mêmes raisons, il avait aussi rejeté la proposition d'accompagner le comte d'Elgin, futur sauveur des marbres du Parthénon, dans sa dernière mission à Athènes. Ses conditions étaient déjà très élevées. Il se peut qu'il ait consenti à faire un effort, à cause de son propre désir de voir la France et la Suisse, mais seulement dans une certaine mesure.

Plus tard, Turner devait devenir un arpenteur infatigable de l'Europe continentale. Le fait qu'il se montre si aventureux en dépit de sa faible maîtrise des langues étrangères (il s'y exerçait, dans un sabir hautement personnel de français mêlé d'italien, mais n'y faisait montre d'aucun talent naturel) doit être mis au compte d'une confiance quasi aristocratique, imitée de Lowson à l'occasion de ce premier voyage, et aussi de la somme d'informations géographiques et pratiques qu'il avait rassemblées de source sûre. Il semble avoir conservé cette assurance, mais il ne connaîtra plus le confort du voyage de 1802. Il fera les voyages suivants seul, et au moindre coût. Cet été-là en revanche, ce n'est pas lui qui règle les notes, et c'est un périple de toute première classe qui s'organise à Paris. On achète un cabriolet pour trente-deux guinées, qu'on revendra au retour; on loue les services d'un domestique et guide suisse. Payé cinq livres par jour, celui-ci doit régler ses propres dépenses. Turner s'attend manifestement à cette sorte d'arrangement, car il a emporté d'Angleterre dans ses bagages de grands carnets de croquis, lourds, reliés en cuir, et il en achète (ou fait acheter par le domestique) d'autres. Révélateurs de finances généreuses, ces préparatifs sont aussi une preuve d'organisation: rien n'est laissé au hasard pour ce voyage. Quelle différence avec, douze ans auparavant, l'expédition du poète William Wordsworth, qui avait traversé la France à pied pour rejoindre les Alpes, au rythme d'environ quarante-huit kilomètres par jour! Prenant la même route vers le sud, Turner et Lowson pouvaient se sentir comme des privilégiés du Grand Tour d'avant-guerre. Voyageant avec autant d'insouciance vis-à-vis des soucis matériels que des contraintes financières, Turner, tout en étant certainement conscient de ses devoirs envers son compagnon de route, avait ainsi toute liberté de travailler et de se concentrer sur ce qu'il découvrait.

A son retour à Londres, il avait accumulé, avec ses vues sublimes des Alpes, une somme de travaux jamais égalée depuis; on ne trouve rien de comparable, même dans la vaste iconographie romantique des montagnes, qui couvre, uniquement pour la Grande-Bretagne, ses toiles et ses dessins jusqu'à la poésie de Wordsworth, de Shelley ou de Byron. Aucun peintre avant Turner, et aucun depuis, n'a su saisir avec autant de vérité les sauvages espaces et la grandeur des montagnes, leur beauté, leur cruauté et leur solitude tragique. Là, bien sûr, il laisse loin derrière les autres voyageurs du Grand Tour. Ils avaient rapidement

caught on the wrong side of the Alps if war suddenly threatened again. Instead their route was as follows. They took the old road from Lyons to Grenoble, pausing there several days to make a tour of the Grande-Chartreuse before following the Isère valley and turning north to Aix-les-Bains, Annecy and Geneva. Then followed a tour of Mont Blanc and the Chamonix glaciers, approaching along the valley of the Arve through Sallanches and Saint-Martin; the trudge over the Col du Bonhomme and the Col de la Seigne to Courmayeur in the Aosta valley; and a descent down the gentler pastures of the valley and a visit to Aosta itself before crossing the Great St Bernard Pass to Martigny. Thence it was north again down the Rhône valley to the tip of Lake Geneva at Villeneuve and Chillon, around the lake to Vevey and Lausanne; thence across the pastures of the Mittelland to Avenches, Berne and then across Lake Thun towards the mountains of the Bernese Oberland and such sights as the Staubbachfall at Lauterbrunnen, the Grindelwald glaciers and the Reichenbach falls. After these, Lake Brienz and Meiringen, and across the Brünig Pass to Lucerne, around the lake to Flüelen and then along the Reuss valley up to the St Gothard Pass before turning back towards Zurich and Baden, following the Rhine valley as far as the Schaffhausen falls and returning via Laufenburg and Basle. The route back to Paris was through Strasburg, and they were there by 30 September.

This essay will not describe this route in detail, as it has been followed for British readers by David Hill in his recent book,[6] and will be familiar territory for an exhibition audience in Martigny. Instead it will concentrate on broader observations on the contemporary character and condition of the region as Turner experienced it in 1802, as a prelude to a discussion of his creative response that year and later. The first point to be made is that some sections of the itinerary were better trodden than others. While, before the war, there had already been the beginnings of a tourist industry at Chamonix and around Mont Blanc—significantly prompted by British explorers and Alpinists like William Coxe whose *Travels in Switzerland* had been published in 1791, and major cities like Grenoble, Berne and Lausanne, and route centres like Martigny, had always been well visited, other places familiar today like Courmayeur in the Aosta valley were then remote. At times Turner and Lowson found themselves where few of their countrymen had been before, and the services of their guide must have been invaluable. Secondly, it followed from this that travelling conditions were often extremely hard. Roads were poor or non-existent, the mountain passes like the Col du Bonhomme or the Great St Bernard as narrow and treacherous as they had been for centuries, so that the comforts

[6] David Hill, *Turner in the Alps. The journey through France & Switzerland in 1802*, 1992.

passé les Alpes, cherchant à acquérir un vernis par la découverte des plaisirs de l'Italie. Mais, pour Turner, les Alpes représenteront une éducation en soi, renforçant, si tant est qu'il en soit besoin, son allégeance à l'art du paysage et portant à de nouveaux sommets sa réflexion et sa technique. L'exposition illustre ce processus de révélation, à l'œuvre dans les dessins de 1802, mais aussi une partie de ses spectaculaires lendemains, avec les œuvres de l'aquarelliste Turner des années qui ont suivi.

Le voyage dans les Alpes: itinéraire et conditions du séjour

On ne traitera pas ici de la traversée de la France par Turner, ni de son deuxième et plus long séjour à Paris à partir de la fin de septembre, quand il a réalisé ses travaux au Louvre. Bien que ces études aient été le but initial du voyage, la participation de Lowson lui avait donné une dimension nouvelle et non moins bienvenue, et l'entreprise devait s'engager pendant que le temps, sans parler de la paix, se maintenait au beau. Les paysages montagneux représentant pour les deux hommes l'objectif primordial, aucun d'eux ne pouvait souhaiter s'attarder plus que nécessaire en chemin. Le 14 juillet, Joseph Farington, un collègue peintre de Turner, signale dans son journal: «Turner part pour Paris demain, en route pour la Suisse», indiquant clairement où se situent alors les priorités pour son ami[5].

L'itinéraire retenu est, d'une certaine manière, assez conventionnel, et suit le chemin des anciens Grands Tours en direction de l'Italie. Mais il ne pousse pas aussi loin. Au contraire, Turner et Lowson vont revenir sur leurs pas, portant leur attention essentiellement sur la Suisse, bien que, plus tard, Turner ait regretté de ne pas avoir pris une journée ou deux de plus, au départ du val d'Aoste, pour se rendre à Turin. Mis à part leurs préférences en matière de paysages, ils ne pouvaient pas prendre le risque d'être surpris du mauvais côté des Alpes en cas de nouvelle menace de guerre. Leur itinéraire emprunte donc le chemin suivant: ils prennent l'ancienne route de Lyon à Grenoble, faisant étape plusieurs jours dans cette ville pour randonner dans la Grande-Chartreuse, avant de suivre la vallée de l'Isère en direction du nord vers Aix-les-Bains, Annecy et Genève. Ils poursuivent par la découverte du Mont-Blanc et des glaciers de Chamonix, effectuant leur approche par la vallée de l'Arve, Sallanches et Saint-Martin; ils franchissent péniblement le col du Bonhomme et celui de la Seigne pour rejoindre Courmayeur dans le val d'Aoste, traversent, en descendant, les aimables pâturages de la vallée et visitent le village d'Aoste avant de passer le col du Grand-Saint-

[5] *The Diary of Joseph Farington* (Le Journal de...), Ed. Kenneth Garlick & Angus Macintyre, V, août 1801 - mars 1803, 1979, 14 juillet 1802, p. 1797.

of the cabriolet had often to be abandoned; while the vehicle was sent on round lakes or by valley roads to await them at convenient points like Martigny or Unterseen, Turner and Lowson covered some of the most difficult stretches of the journey on foot or on muleback, or—as on their crossing of Lake Thun—could enjoy the relative relaxation of a boat ride. Accommodation, moreover, varied considerably, ranging from well-established posting inns on the major routes to the rudest shelter in the remoter areas; Lowson's generous budget can have offered only partial insulation from discomfort, and, back in Paris, Turner reported 'much fatigue from walking, and. . .bad living and lodgings'.[7] Thirdly, much of the Alpine region was in political and economic disarray as a result of the war, and full of recent memories of Napoleon. Having first swept down on the mountains in 1796 on his way to North Italy, his subsequent campaigns and annexations were responsible for the conditions and territorial boundaries prevailing in 1802.

Borders had been drawn and redrawn to suit Napoleon's purpose. The process had created some bitter ironies. Grenoble, where Turner and Lowson began their Alpine tour and first paused for serious sightseeing and drawing, had a long tradition of civic independence and radicalism and had made its own contribution to the Revolution by a robust defence of its liberties when Louis XVI dismissed the Councils of State and exiled his members of Parliament to their constituencies. In June 1788, during the famous 'Day of the Tiles' (Journée des Tuiles), they had climbed barricades and beaten back an occupying force of soldiers with a hail of roof tiles before triumphantly marching their local Members back to their assembly building. The reinstated Assembly survived until dissolved by the Revolution in 1791, when the region was split into three administrations, Isère, Drôme and Hautes-Alpes. But if revolutionary ideals had animated the Grenoblois, elsewhere the consequence of the Revolution had been to restrict liberties and independence. The old Alpine territory of Savoy, which had long belonged to the kings of Sardinia, had been occupied by French forces in 1792 and turned into a 'Department of Mont Blanc', and soon afterwards the Swiss, whose confederation of largely autonomous Cantons had long been considered a paradigm of political liberty, were also absorbed. Geneva, where in 1792 the French had offered protection to a local revolution, was now forced into union with them, while elsewhere their agents stirred up disturbances which their troops and administrators then stepped in to control. The old federal confederation rapidly unravelled as first the Grisons provinces were annexed, then, in the decisive step, Berne, capital of the most important

[7] *The Diary of Joseph Farington*, ed. Kenneth Garlick & Angus Macintyre, V, August 1801 - March 1803, 1979, 1 October 1802, p. 1890.

Bernard pour atteindre Martigny. De là, ils se dirigent à nouveau vers le nord en descendant la vallée du Rhône jusqu'à la pointe du lac de Genève, à Villeneuve et Chillon, puis suivent les rives du lac jusqu'à Vevey et Lausanne; ensuite, à travers les alpages du Mittelland, ils atteignent Avenches et Berne, et traversent ensuite le lac de Thoune en direction des montagnes de l'Oberland bernois et des panoramas des chutes de Staubbach à Lauterbrunnen, des glaciers de Grindelwald et des chutes de Reichenbach. Ils rejoignent ensuite le lac de Brienz et Meiringen, puis, au-delà du col du Brünig, Lucerne, prennent autour du lac jusqu'à Flüelen, puis le long de la vallée de la Reuss jusqu'au col du Saint-Gothard, avant de retourner sur leurs pas vers Zurich et Baden en suivant la vallée du Rhin jusqu'aux chutes de Schaffhouse, puis de rentrer par Laufenbourg et Bâle. Retournant à Paris via Strasbourg, ils sont dans la capitale le 30 septembre.

Notre article ne saurait reprendre en détail cet itinéraire, déjà minutieusement décrit pour les lecteurs anglophones par David Hill[6] dans un récent ouvrage, et avec lequel les visiteurs de l'exposition de Martigny seront sans doute familiarisés. En revanche, il s'attachera à des observations plus larges sur les caractéristiques et la situation de la région, telles que Turner a pu les vivre en 1802, en préliminaire aux éléments touchant la réponse créatrice de l'artiste, cette année-là et les suivantes. Notre première remarque sera que certaines parties de l'itinéraire étaient plus fréquentées à l'époque que d'autres. Avant la guerre, on avait déjà assisté aux débuts d'une activité touristique à Chamonix et autour du Mont-Blanc, à l'instigation, on le notera, d'explorateurs et d'alpinistes britanniques comme William Coxe, dont les *Voyages en Suisse* ont été publiés en 1791. De grandes villes comme Grenoble, Berne et Lausanne, et des villes d'étape comme Martigny, connaissaient déjà un afflux de visiteurs, mais d'autres lieux aujourd'hui connus, comme Courmayeur dans le val d'Aoste, étaient alors peu fréquentés. Turner et Lowson se sont parfois trouvés dans des endroits que peu de leurs compatriotes avaient visités auparavant. L'assistance de leur guide doit leur avoir été extrêmement précieuse. On en déduira aussi que les conditions de voyage étaient souvent très rudes. Les routes étaient mauvaises, voire simplement inexistantes. Les cols de montagne comme celui du Bonhomme ou le Grand-Saint-Bernard étaient, déjà depuis des siècles, connus pour être étroits et traîtres. Nos voyageurs devaient souvent abandonner le confort du cabriolet. Tandis que celui-ci poursuivait sa course le long des lacs et par les vallées pour les rejoindre à des points de rendez-vous comme Martigny ou Unterseen, Turner et Lowson parcouraient certaines des parties les plus difficiles du voyage à pied ou à dos de mulet, ou

[6] David Hill, *Turner in the Alps. The journey through France & Switzerland in 1802*, 1992.

Canton, was occupied and its treasures seized. Coxe's *Travels* had been full of praise for Switzerland's history of freedom defended and tyranny overthrown, but now, with her Alpine neighbours, she stood in the way of Napoleon's greater prize of Italy. Having begun to secure it, in 1796, he needed to protect his route from Paris, through the Valais and the Simplon Pass. While dividing North Italy into three client Republics, Napoleon created, in 1798, a dependent Helvetic Republic out of Switzerland. For many observers, especially English liberals, this suppression of a long independent history was profoundly disillusioning, marking Napoleon's fatal transition from people's hero to greedy imperialist. Wordsworth's poem, significantly titled *Thoughts of an Englishman on the Subjugation of Switzerland*, gave voice to their despair.

Napoleon's hold on Italy and his approaches to it had not been achieved without a fight. Early in 1799 the Austrian Archduke Charles defeated a French army near Lake Constance and drove it back across the Rhine, while in the summer, with Austrian help, the Russian Aleksandr Suvorov briefly managed to run the French out of Italy altogether after two victories at the Trebbia and Novi. Thus emboldened, Suvorov planned to attack France itself through Switzerland. In September he led his army across the St Gothard, a heroic adventure but ultimately fruitless as within scarcely a month he was forced to evacuate Switzerland; having been ejected from the region by the Austrians, the French had returned by water across Lake Lucerne and caught the Russians as they descended from the pass. Suvorov's crossing, and the bloody aftermath of his retreat, rank among the great campaigns of history, but have been overshadowed by Napoleon's extraordinary passage of the Great St Bernard, before defeating the Austrians at Marengo and regaining North Italy the following year. On foot and with guns dismounted, an army of 40,000 had literally slid down the rocky paths in the last of the winter snows. Meticulous planning and iron discipline ensured the success of the enterprise, but to the Romantic imagination it suggested the workings of a giant among men, ranking with the greatest in history, or even a superhuman power pitted against the supernatural terrain through which he forced his troops.

In Paris, on his way out or on his return, Turner saw a version of Jacques-Louis David's epic picture of Napoleon on the Great St Bernard, in which the modern hero is compared to Hannibal and Charlemagne, who had also crossed the mountains (fig. 1). Retracing their route himself, he doubtless heard local stories from the guide of the real details of the 1800 crossing—how Napoleon had based himself in Martigny directing supplies before rejoining his men, or sent the monks at the Great St Bernard hospice rations to feed the troops when they arrived—and as he scrambled

bien, comme pour la traversée du lac de Thoune, profitaient de la détente relative offerte par une croisière en bateau. Les conditions d'hébergement étaient naturellement très variables, allant du relais de poste bien établi des routes principales à l'abri rude et spartiate des régions les plus reculées; le budget généreux fourni par Lowson n'aura pas pu les protéger partout des désagréments liés à l'inconfort. De retour à Paris, Turner fait état d'une «grande fatigue d'avoir trop marché, et … avoir mal vécu et été mal logé»[7]. Une troisième remarque sera qu'une grande partie de cette région des Alpes était désorganisée sur les plans politique et économique des suites de la guerre, et qu'elle gardait en mémoire la trace récente du passage de Napoléon Bonaparte. En 1796, il avait envahi la région en route pour l'Italie du Nord, et les campagnes et les annexions qui s'ensuivirent avaient provoqué la situation locale et fixé les frontières territoriales de cette année 1802.

Pour servir la stratégie de Bonaparte, les frontières avaient été remaniées à plusieurs reprises. Le procédé avait abouti à de cruelles ironies. Grenoble, par où Turner et Lowson commencent leur voyage alpin, et où ils font étape, se consacrant sérieusement pour la première fois à la découverte des paysages et au dessin, avait une longue tradition d'indépendance civile et de radicalisme. La ville avait offert sa contribution à la Révolution en défendant farouchement ses libertés, lorsque Louis XVI avait révoqué les Etats généraux et exilé les députés dans leurs circonscriptions. Pendant la fameuse Journée des Tuiles en 1788, on y avait érigé des barricades, et repoussé l'armée d'occupation par une pluie de tuiles, avant d'escorter en triomphe les députés grenoblois jusqu'à leur assemblée. L'Assemblée restaurée avait survécu jusqu'à sa dissolution par la Révolution en 1791, date à laquelle la région avait été divisée en trois départements: l'Isère, la Drôme et les Hautes-Alpes. Si des idéaux révolutionnaires habitaient les Grenoblois, les conséquences de la Révolution avaient été de restreindre l'indépendance et les libertés ailleurs. L'ancienne province alpine de Savoie, longtemps possession des rois de Sardaigne, avait été occupée par les armées françaises en 1792, et transformée en «Département du Mont-Blanc». Peu de temps après, la Suisse, dont depuis longtemps la confédération de cantons largement autonomes représentait un symbole de liberté politique, est aussi annexée. Genève, à laquelle les Français ont offert protection en 1792 face à une insurrection locale, est contrainte de s'unir à la France. Ailleurs, les agents de la France fomentent des troubles, que leurs troupes et leur administration s'empressent de maîtriser en intervenant. L'ancienne confédération se défait rapidement. Les provinces des Grisons sont annexées en premier, puis, pas décisif, Berne, capitale

[7] *The Diary of Joseph Farington* (Le Journal de…), Ed. Kenneth Garlick & Angus Macintyre, V, août 1801 - mars 1803, 1979, 1er octobre 1802, p. 1890.

Fig. 1 Jacques-Louis David, *Napoleon on the St Bernard Pass*, *c.*1800 (Château de Malmaison, Paris).

Fig. 1 Jacques-Louis David, *Bonaparte franchissant le Grand-Saint-Bernard*, vers 1800 (Château de Malmaison, Paris).

over the pass, would have realised the extent of David's flattery and fiction. Did he, as he passed through Bourg-Saint-Pierre on his descent through the Val d'Entremont towards Martigny, learn how a peasant from the village had guided Napoleon over the pass, on a mule and in the rear-guard of his army—so different from the heroics of David's canvas? It would take ten years, a snowstorm in Yorkshire and the hubris of Napoleon's Russian campaign before Turner felt able to deflate such myth-making in the greatest of his Swiss pictures, *Snowstorm: Hannibal and his Army crossing the Alps* (fig. 2), reducing the ancient Carthaginian to whom Napoleon was often compared to invisibility in an apocalyptic mountain blizzard. The picture is proof of the point made—in relation to Wordsworth's poetry—by the literary critic Alan Liu, that in the early 1800s a Swiss mountain pass was recollected above all as a military site, a conduit for the strategic genius of a Napoleon or a Suvorov.[8] So—even more so—is the large and impressive

[8] Alan Liu, 'The History in "Imagination"', in *Romanticism. A Critical Reader*, ed. Duncan Wu, 1995, pp. 108-9.

du canton le plus important, est occupée et ses trésors confisqués. Les *Voyages* de Coxe sont pleins d'éloges pour l'histoire de la Suisse, la défense de ses libertés, sa manière de s'affranchir de la tyrannie. Mais celle-ci se trouve à présent, en compagnie de ses voisins alpins, sur la route d'un objectif majeur de Bonaparte: l'Italie. Il avait commencé à en annexer le territoire en 1796, mais il avait besoin d'en protéger l'accès depuis Paris par le Valais et le col du Simplon. Tout en divisant l'Italie du Nord en trois républiques assujetties, en 1798 Bonaparte fait de la Suisse une République helvétique dépendante. Pour de nombreux observateurs, notamment les libéraux anglais, la fin apportée à cette longue histoire d'indépendance est une source profonde de désillusion et marque pour Bonaparte la transition fatale de héros du peuple en insatiable impérialiste. Un poème de Wordsworth, au titre évocateur, *Réflexions d'un Anglais sur la mise sous le joug de la Suisse*, exprime leur désespoir.

La mainmise de Bonaparte sur l'Italie ainsi que ses manœuvres d'approche n'ont pas eu lieu sans combat. Au début de 1799, l'archiduc Charles d'Autriche défait une armée française près du lac de Constance et la repousse sur la rive opposée du Rhin. L'été de la même année, avec l'aide autrichienne, le Russe Alexandre Souvorov réussit brièvement à chasser complètement les Français d'Italie après les deux victoires de la Trebbia et de Novi. Encouragé, Souvorov décide d'attaquer la France en passant par la Suisse. En septembre, il franchit le Saint-Gothard avec son armée, aventure héroïque mais sans lendemain, car, à peine un mois après, il doit abandonner la Suisse. Repoussés de la région par les Autrichiens, les Français font la traversée du lac des Quatre-Cantons, et surprennent les Russes à leur descente du col. Quoique au nombre des grandes campagnes de l'histoire, le passage de Souvorov et les lendemains sanglants de sa retraite se sont presque effacés face au fameux passage du Grand-Saint-Bernard par Bonaparte avant sa victoire sur les Autrichiens à Marengo et, l'année suivante, la reconquête du nord de l'Italie. Son armée de 40 000 hommes à pied, transportant les canons démontés, avait littéralement dévalé les sentiers rocailleux enneigés en cette fin d'hiver. Organisation méticuleuse et discipline de fer ont assuré le succès de l'entreprise. Mais l'imagination des romantiques y a vu le haut fait d'un géant à l'œuvre parmi les hommes, a hissé Bonaparte au rang des plus grands héros de l'histoire, d'une puissance surhumaine face à la configuration «surnaturelle» du terrain par lequel il a forcé le passage de ses troupes.

Pendant le voyage d'aller ou de retour, Turner a vu à Paris une version du tableau épique de Jacques-Louis David de Bonaparte au Grand-Saint-Bernard, dans laquelle le héros moderne est comparé à Hannibal et à Charlemagne, qui, eux aussi, avaient franchi cette montagne (fig. 1). Repre-

watercolour *The Battle of Fort Rock* that Turner exhibited in 1815 (cat. no. 41). Turner's title goes on to date the battle to 1796, when Napoleon had first invaded Italy. In fact no such encounter is known to have taken place at Fort Roch in the Aosta valley, and Turner may have become confused with one that occurred in 1800, when at Fort Bard just beyond the Great St Bernard Napoleon managed to push through a narrow and seemingly impassable defile. Whatever the case, the subject shows the kind of associations from the recent war that played on Turner's imagination as he travelled through the Alps.

Only local anecdote—most likely gathered for Turner and Lowson by their guide—could recall the dust and heat and blood of battle, but sometimes there were other reminders. Early in their tour, in the Chartreuse, they found the access to the ancient monastery—once so hospitable—barred. The monks had been expelled on Napoleonic orders and the buildings turned over to a cannon foundry under military guard. The Devil's Bridge in the St Gothard (cat. no. 68)

nant le même chemin, Turner a sans doute entendu des récits de son guide, lui fournissant des détails authentiques sur la traversée de 1800: comment Bonaparte s'était installé à Martigny, organisant le ravitaillement avant de rejoindre ses hommes, ou comment il avait envoyé aux moines de l'hospice du Grand-Saint-Bernard des rations pour nourrir les troupes à leur arrivée... Et, tandis qu'il peinait à passer le col, il aura pris conscience de la grande part de flatterie et d'invention de David. A-t-il appris, en traversant Bourg-Saint-Pierre pendant la descente du val d'Entremont vers Martigny, comment un paysan du village avait guidé Bonaparte pour passer le col, assis sur une mule à l'arrière-garde de l'armée, à mille lieues de la mise en scène héroïque de la toile de David? Il allait falloir dix années, une tempête de neige dans le Yorkshire et l'orgueilleuse démesure de la campagne de Russie pour que Turner se sente prêt à désarmer un mythe pareil, dans sa plus grande toile inspirée de la Suisse, *Tempête de neige: Hannibal et son armée franchissant les Alpes* (fig. 2), où il réduit l'antique Carthaginois, auquel Napoléon était souvent comparé, à un point

Fig. 2 J.M.W. Turner, *Snowstorm: Hannibal and his Army crossing the Alps*, 1812 (Tate Gallery).

Fig. 2 J.M.W. Turner, *Tempête de neige: Hannibal et son armée franchissant les Alpes*, 1812 (Tate Gallery).

Fig. 3 Johann Baptist Seele, *Battle of the Russians and French at the Devil's Bridge, St Gothard Pass in the Year 1799*, 1802 (Staatsgalerie, Stuttgart).

Fig. 3 Johann Baptist Seele, *Bataille entre Russes et Français au Pont du Diable, col du Saint-Gothard, an 1799*, 1802 (Staatsgalerie, Stuttgart).

doubtless prompted its own thoughts on the destructive forces of war. As can be seen in a picture by the Stuttgart battle painter J. B. Seele (fig. 3), it had witnessed hand-to-hand fighting as Suvorov's troops pushed through the French, who blew it up to block their advance (the Russians then threw down wooden planks); the bridge Turner drew was a replacement, almost new in 1802. Such evidence of recent upheavals could not be ignored. Nor could the impoverishment of towns and cities now subjected to high Napoleonic taxation. As other travellers of the time reported, beggars and robbers were common on the roads. Meeting Joseph Farington in Paris on his return, Turner reported that Switzerland was 'in a very troubled state' and that its people were 'well inclined towards the English'. Farington reported no observations from him on the insurrection that autumn against continued French interference in Swiss affairs, but this and its causes were undoubtedly the trouble to which he referred. The Amiens treaty required the French to withdraw from the Helvetic Republic and the Italian Cisalpine one, but as summer passed, this had not happened; the Cisalpine authorities were said to be unable to manage without Napoleon's patronage, so he accepted their Presidency while finding 'many political reasons' for not removing his troops. This amounted to a takeover, as did the continued occupation of Switzerland. Both would be remembered when, over the coming months, the fragile peace was weighed in the balance and found wanting.

quasi invisible pris dans un apocalyptique blizzard d'altitude. Le tableau vient appuyer l'argument avancé par le critique littéraire Alan Liu par rapport à la poésie de Wordsworth, suivant lequel, au début des années 1800, un col de montagne suisse représentait d'abord pour les esprits un site militaire, un passage pour le génie stratégique d'un Bonaparte ou d'un Souvorov[8]. Preuve supplémentaire, et quelle preuve! en est la grande et puissante aquarelle de Turner exposée en 1815, *La Bataille de Fort Roch* (cat. n° 41). Le titre de Turner rapproche la bataille de la date de 1796, quand Bonaparte envahit l'Italie pour la première fois. On n'a pas connaissance d'un affrontement de ce genre qui aurait eu lieu à Fort Roch, dans le val d'Aoste; Turner peut avoir fait la confusion avec une bataille de l'année 1800, quand, juste sous le Grand-Saint-Bernard, à Fort Bard, Bonaparte a réussi à forcer le passage par un défilé étroit apparemment impraticable. Quoi qu'il en soit, le sujet illustre le genre d'associations liées au récent conflit, avec lesquelles joue l'imagination de Turner lors de son voyage à travers les Alpes.

Seuls des récits locaux, très vraisemblablement recueillis pour Turner et Lowson par leur guide, pouvaient faire revivre la poussière, la fièvre et le sang des combats. Mais, parfois, d'autres souvenirs demeuraient. Au début de leur périple, dans la Chartreuse, ils ont trouvé barré l'accès au vieux monastère, autrefois si hospitalier. Les moines avaient été expulsés sur ordre de Bonaparte, et les bâtiments transformés en une fonderie de canons sous contrôle militaire. Le Pont du Diable, dans le Saint-Gothard (cat. n° 68), a sans nul doute inspiré sa propre série de réflexions sur le pouvoir destructeur de la guerre. Comme on peut le constater sur un tableau du peintre de batailles J. B. Seele, originaire de Stuttgart (fig. 3), l'endroit avait été le témoin de combats au corps à corps quand les troupes de Souvorov avaient forcé les rangs de l'armée française, qui avait fait sauter le pont pour bloquer leur avancée (les Russes y avaient alors disposé des planches); le pont dessiné par Turner en 1802 est un ouvrage de remplacement, pratiquement neuf. Nul ne pouvait ignorer le souvenir des conflits récents, ni l'appauvrissement des villes et des villages, assujettis à présent aux lourds impôts de Bonaparte. Comme l'ont rapporté d'autres voyageurs de l'époque, mendiants et voleurs étaient communs sur les routes. Rencontrant Joseph Farington à son retour à Paris, Turner affirme que la Suisse vivait «une situation très perturbée» et que son peuple était «bien disposé à l'égard des Anglais». Farington ne mentionne aucune remarque de sa part concernant le soulèvement de l'automne contre les ingérences françaises permanentes

[8] Alan Liu, «The History in "Imagination"», *in: Romanticism. A Critical Reader*, Ed. Duncan Wu, 1995, pp. 108-109.

Fig. 4 J.M.W. Turner, *The Fall of an Avalanche in the Grisons*, 1810 (Tate Gallery).

Fig. 4 J.M.W. Turner, *La Chute d'une avalanche dans les Grisons*, 1810 (Tate Gallery).

Wars and rumours of war, the loss of liberty and the fear of losses to come, cannot have failed to press on Turner's mind that summer. He was passing through a landscape where history was being made, and whose character uniquely rose to the terrible grandeur of contemporary events. Back at home he had been developing his vision of the landscape Sublime, both in scenes of wild nature in North Wales or Scotland and in historical subjects whose apocalyptic themes were echoed in the elemental drama of storm or flood. Central to Turner's mission as a landscape painter was the notion that the forces and flux of nature were as moving and instructive as any human drama, but in the Alps the constantly changing geology of the mountains, the sinister and insidious creep of the glaciers, the dead and dying trees scattered by avalanches, the sudden storms—all were proof of the turbulent processes of evolution in the natural world, and at once the mirror and the setting of political catastrophe. It was perhaps as yet too early for Turner to have developed his interest in geology far enough to take sides in the contemporary debates between those who believed that rocks and mountains had been thrown forth from a universal ocean, and those 'vulcanists' who fancied them the product of violent and constant upheavals in an overheated earth. But his impressions of the landscape and its contemporary history must equally have tended to the dynamics of chaos and upheaval, to a Romantic sense of doomy and unpredictable destiny.

It was not until 1810 that Turner revealed just how deep these impressions had gone. Of the oil paintings to derive from the 1802 tour his *Fall of an Avalanche in the Grisons* (fig. 4) is quite the most extraordinary. He never painted a

dans les affaires suisses, mais c'est certainement à cela et à ces motifs qu'il se réfère lorsqu'il parle de situation perturbée. La Paix d'Amiens exigeait des Français qu'ils se retirassent de la République helvétique et de la République cisalpine d'Italie, mais, une fois l'été passé, rien n'était advenu. On disait des autorités cisalpines qu'elles ne pouvaient faire face sans le soutien de Bonaparte; ce dernier en accepte donc la présidence, tout en arguant de «nombreuses raisons politiques» pour ne pas retirer ses troupes. Cela équivaut à une annexion, tout comme l'occupation continue de la Suisse. Cette double situation restera présente à l'esprit lorsque, dans les mois qui suivront, la fragile paix sera pesée et jugée bien faible.

Guerres et rumeurs de guerre, libertés perdues et peur de pertes nouvelles laissent forcément leur empreinte cet été-là dans l'esprit de Turner. Il traverse un paysage où l'histoire est en train de se faire, et dont la physionomie même se montre à la hauteur tragique des grands événements du moment. De retour en Angleterre, sa vision du paysage «Sublime» se sera développée, tant dans ses scènes de nature sauvage du nord du Pays de Galles ou de l'Ecosse que dans les sujets historiques, dont les thèmes d'apocalypse trouvent un écho dans la tragédie élémentaire de l'orage ou de l'inondation. Turner, en tant que peintre de paysages, sentait sa mission évoluer autour de l'idée centrale que les forces et les flux de la nature sont aussi émouvants, aussi riches d'enseignement, que toute tragédie humaine. Mais dans les Alpes, le relief toujours changeant de la montagne, l'avance inquiétante et sournoise du glacier, les arbres morts ou mourants éparpillés par l'avalanche, l'orage soudain étaient autant de preuves de la violence du monde naturel en œuvre; en même temps, ils servaient de miroir et de décor à une catastrophe politique. Il était sans doute trop tôt encore, Turner n'ayant pas suffisamment développé son goût de la géologie, pour qu'il prenne position dans le débat de ses contemporains entre ceux qui pensaient que roches et montagnes avaient surgi d'un océan universel, et les «volcanistes» qui les voyaient comme le produit de violents surgissements répétés d'une terre en fusion. Mais ses impressions sur le paysage et sur l'histoire de son temps se rapprochaient certainement ainsi d'une dynamique du chaos et du soulèvement, d'un sentiment romantique de destinée tragique et imprévisible.

Ce n'est qu'en 1810 que Turner montre la trace profonde de ces impressions. Au nombre des toiles découlant de son périple de 1802, sa *Chute d'une avalanche dans les Grisons* (fig. 4) est de loin la plus remarquable. Jamais il n'a peint de démonstration plus totale de la puissance de la nature à l'état pur. On ressent ici aussi fortement les allusions aux assauts napoléoniens que dans sa toile *Hannibal* plus tardive. En fait, le circuit de 1802 de Turner avait laissé les Grisons entièrement de côté, mais il avait probablement lu

Fig. 5 Jean-Pierre Saint-Ours, *The Earthquake*, 1806 (Musée cantonal des Beaux-Arts, Lausanne).

Fig. 5 Jean-Pierre Saint-Ours, *Le Tremblement de terre*, 1806 (Musée cantonal des Beaux-Arts, Lausanne).

more complete demonstration of the power of pure landscape, but the implicit allusions to the Napoleonic onslaught are as strongly felt here as in the later *Hannibal.* Turner's route in 1802 had in fact missed the Grisons altogether, but he had probably read of a terrible avalanche at Selva in the Grisons in December 1808, when twenty-five people were killed in a single chalet, and remembered that it had been with the seizure of the Grisons provinces that Napoleon had launched first blows at the Helvetic Republic. Turner could not have known of the remarkable composition, *The Earthquake*, completed in 1806 by the Genevan painter Jean-Pierre Saint-Ours (fig. 5) in a mood of despair and disillusion at the failure of his nation and civilisation, but

le récit d'une terrible avalanche qui, en décembre 1808, avait tué vingt-cinq personnes dans un chalet, à Selva dans les Grisons. Et il s'était souvenu que la prise des provinces grisonnes avait constitué la première agression de Bonaparte envers la République helvétique. Turner ne peut pas avoir vu le remarquable *Tremblement de terre*, achevé en 1806 par le Genevois Jean-Pierre Saint-Ours (fig. 5) et peint dans le désespoir et la désillusion devant l'échec de son pays et de la civilisation; mais chacune des deux toiles illustre par un cataclysme naturel le raz-de-marée napoléonien qui, comme devaient le pressentir Turner et Lowson en 1802, était sur le point de se produire à nouveau.

in both pictures a natural cataclysm represents the Napoleonic juggernaut which, as Turner and Lowson must have known in 1802, was about to roll again.

The 1802 Drawings: Subject, Style, Technique

Such works of imaginative synthesis as *Hannibal* and the *Avalanche* required years to gestate, and the stimulus of subsequent events. In fact Turner gave no hint of anything beyond a literal and topographical response when, returning to Paris, he met Farington in the Louvre. 'The lines of the Landscape features in Switzerland rather broken', reported Farington, 'but there are very fine parts.'[9]

Fortunately, Turner was more forthcoming later. During a visit to Farington on 1 October he talked quite freely: 'The Grand Chartreuse is fine;—so is Grindelwald. . . .The trees in Switzerland are bad for a painter,—fragments and precipices very romantic, and strikingly grand. The Country on the whole surpasses Wales, and Scotland too. . . .The weather was very fine. He saw very fine Thunder Storms among the Mountains.'[10] By Turner's usual standards of taciturn reserve, this was positively loquacious, and there was more to come. On 22 November he entertained his friend to tea, and showed him the drawings made on his tour, with a running commentary, and some more interesting remarks on the pictorial ingredients of the landscape: 'Walnut trees in Switzerland &c very fine. N. Poussin studied from them.—Houses in Switzerland bad forms,—tiles abominable red colour. . . .Most of sketches slight on the spot, but touched up since many of them with liquid white, and black chalk.'[11]

What Turner showed Farington was evidently much of the substance of this exhibition, his more presentable drawings from the tour which he had been reworking and revising. To judge from Farington's description of their technique, these were mainly the contents of two sketchbooks, those known as the *Grenoble* (Turner Bequest; LXXIV) and the *St Gothard and Mont Blanc* (Turner Bequest; LXXV). In addition to working these up in his studio, Turner had perhaps already begun to separate the best sheets and mount them in the large album in which they were found at his death. Leather-bound, composed of French paper and with a label indicating that it had originally contained *Italiaanse Tekeningen*, this had presumably belonged to an earlier collector and been acquired by Turner as a convenient and

[9] *The Diary of Joseph Farington*, ed. Kenneth Garlick & Angus Macintyre, V, August 1801 - March 1803, 1979, 30 September 1802, p. 1889.
[10] *Ibid.*, 1 October 1802, p. 1890.
[11] *Ibid.*, 22 November 1802, p. 1936.

Les dessins de 1802: sujet, style, technique

Des œuvres de synthèse imaginative comme *Hannibal* et l'*Avalanche* ont demandé des années de gestation, et l'impulsion de nouveaux événements. En fait, Turner ne laisse rien entendre d'autre qu'une mention littérale, «topographique», lorsque, à son retour à Paris, il rencontre Farington au Louvre. «Le dessin du paysage suisse est sans continuité, rapporte Farington, mais il y a de bien beaux sites.»[9]

Turner se montre par bonheur plus communicatif à son retour à Londres. Au cours d'une visite à Farington le 1er octobre, il s'exprime librement: «La Grande-Chartreuse est superbe, Grindelwald aussi... En Suisse, les arbres ne sont pas bons pour le peintre; fragments et précipices sont très romantiques et frappent par leur grandeur. Ce pays surpasse en général le Pays de Galles et aussi l'Ecosse... Il a fait très beau. Vu de superbes orages au cœur des montagnes.»[10] Etant donné le comportement d'ordinaire renfermé et taciturne de Turner, le voici particulièrement loquace; d'autres réflexions sont encore à venir. Le 22 novembre, il invite son ami à prendre le thé, et lui montre les dessins réalisés au cours du voyage, en les commentant, ajoutant d'autres remarques intéressantes sur les données picturales fournies par le paysage: «En Suisse, etc., les noyers sont très beaux. N. Poussin les a étudiés. Les maisons en Suisse ont une forme qui ne va pas — tuiles d'un affreux ton de rouge... La plupart des croquis vite faits sur place, mais beaucoup retouchés depuis à la gouache blanche et à la craie noire.»[11]

Les œuvres montrées par Turner à Farington constituent vraisemblablement une bonne partie du fonds de cette exposition, à savoir ses dessins de voyage les plus «présentables», retravaillés et réinterprétés. En se fondant sur la description, par Farington, des techniques employées, il s'agit essentiellement du contenu de deux carnets de croquis, ceux dits *de Grenoble* (Legs Turner; LXXIV) et *du Saint-Gothard et du Mont-Blanc* (Legs Turner; LXXV). Turner les avait retravaillés dans son atelier, mais il avait peut-être déjà commencé à séparer les meilleurs dessins, pour les monter dans le grand album dans lequel on les a trouvés à sa mort. Relié en cuir, en papier français, portant une étiquette mentionnant qu'il avait à l'origine contenu des *Italiaanse Tekeningen*, on pense que l'album avait appartenu à un premier collectionneur, et que Turner en avait fait l'acquisition dans le but d'y disposer ses dessins

[9] *The Diary of Joseph Farington* (Le Journal de...), Ed. Kenneth Garlick & Angus Macintyre, V, août 1801 - mars 1803, 1979, 30 septembre 1802, p. 1889.
[10] *Ibid.*, 1er octobre 1802, p. 1890.
[11] *Ibid.*, 22 novembre 1802, p. 1936.

elegant repository for his tour drawings. Mounted within in the order of the tour, and labelled with their titles, the drawings could be shown to prospective patrons who might order finished versions in watercolour or oil from them. Certainly the album served its purpose well, for a number of commissions resulted from it, and the initials of the collectors who ordered work—chiefly Walter Fawkes—appear on many of the sheets.

When John Ruskin came to sort and arrange Turner's collections bequeathed to the nation, he found the drawings 'mounted in a more orderly fashion than, as far as I know, *he* ever achieved in business of this kind. . . .The title was, however, written beneath each subject in Turner's hand, and in Turner's French.'[12] Ruskin's account implies his assumption that Turner was not wholly responsible for this arrangement, but in fact Turner must have been fully aware of the valuable pictorial capital that he had amassed in his drawings, and anxious to present it as invitingly and informatively as possible. As for the French titles, these presumably had been noted down from the Swiss guide as Turner travelled, and were now transcribed into the album. Ruskin also says that the album had been sold, and 'bought back' by Turner, as if he had sold the drawings themselves. But it is surely inconceivable that Turner would part with such a resource, and more likely that he had bought the album, or been given it by another collector, expressly to contain the drawings from his tour. Very possibly it came from the library of one of the wealthy patrons with whom he had recently been staying—Beckford or Hoare, perhaps, or even one of the consortium who had financed part of the trip.

Impressed though Ruskin was by the orderly arrangement of the album, this did not prevent him from committing, in his capacity as executor and arranger of Turner's Bequest, an act of monstrous vandalism that has bedevilled scholars ever since. He cut the drawings from the album—understandably as many were to be exhibited—but also detached their labels, so that to this day a random collection of loose slips of inscribed paper swims sadly around in the bottom of a box in the Tate Gallery. Research has gone some way to connecting them with their proper drawings, and this catalogue brings many together with reasonable conviction if not always absolute certainty; but Ruskin's brutality still leaves some labels unaccounted for and subjects unidentified when—uniquely as he himself acknowledged—Turner had provided accurate identification of his drawings.

[12] John Ruskin, *Catalogue of the Sketches and Drawings by J.M.W. Turner R.A. Exhibited at Marlborough House in the Year 1857-8*, 1858, pp. 25-6.

de voyage de façon pratique et élégante. Montés dans l'ordre du périple et légendés, ceux-ci pouvaient ainsi être présentés à des clients éventuels, susceptibles d'en commander des versions achevées à l'aquarelle ou à l'huile. L'album a manifestement bien rendu son office, car il en est résulté un certain nombre de commandes, et les initiales des collectionneurs qui les ont passées (pour l'essentiel Walter Fawkes) apparaissent sur de nombreuses feuilles.

Quand John Ruskin s'est attelé au tri et au classement des œuvres que Turner avait léguées à la Grande-Bretagne, il a découvert les dessins «montés de façon plus organisée que *lui* ne l'a jamais été, autant que je sache, dans aucune affaire de ce genre... Les titres étaient inscrits sous chaque sujet de la main de Turner, mais dans le français de l'artiste.»[12] Les réflexions de Ruskin laissent entendre qu'il soupçonne Turner de n'être pas entièrement responsable de cette organisation. Pourtant, Turner était certainement tout à fait conscient de l'importance du capital «en images» qu'il avait ainsi rassemblé avec ses dessins, et soucieux de le présenter de façon aussi attrayante et communicative que possible. Quant aux titres français, Turner les tenait probablement du guide suisse du voyage, et les avait repris dans l'album. Ruskin affirme aussi que ce dernier avait été vendu, puis «racheté» par Turner, comme s'il avait vendu les dessins eux-mêmes. Mais on ne peut concevoir que Turner ait pu se séparer d'un tel trésor, et il est plus vraisemblable qu'il ait acheté l'album, ou qu'un autre collectionneur le lui ait offert, précisément pour y consigner les dessins réalisés pendant son voyage. Il se pourrait fort bien qu'il provienne de la bibliothèque d'un de ses riches clients, chez lequel le peintre venait de séjourner, par exemple Beckford ou Hoare, ou même un des membres du groupe qui avait financé une partie du voyage.

Tout impressionné que fût Ruskin par l'ordonnancement soigné de l'album, cela ne l'a pas empêché de commettre, en tant qu'exécuteur et ordonnateur du legs de Turner, un acte de vandalisme monstrueux qui laisse encore pantois les experts à ce jour. Il découpe les dessins de l'album, ce qui peut se comprendre puisque beaucoup étaient destinés à être exposés, mais il en détache aussi les titres; ainsi, aujourd'hui, la Tate Gallery est-elle en possession d'un mélange absurde de petits papiers annotés qui occupent le fond d'une boîte... Les chercheurs sont en partie parvenus à les rattacher à leur dessin d'origine, et beaucoup se trouvent réunis dans le catalogue, si ce n'est de façon sûre et certaine, du moins avec une conviction défendable. Mais

[12] John Ruskin, *Catalogue of the Sketches and Drawings by J.M.W. Turner R.A. Exhibited at Marlborough House in the Year 1857-8*, 1858, pp. 25-26.

For the same reasons, the original sequence of the drawings cannot be reconstructed, but Farington's description of the subjects—'Lyons, Grenoble, Defile of the Grand and Petit Chartreuse. . . .Chamonix, of Mont Blanc etc.—of Aost,—St Bernard etc.'—suggests they were placed in topographical order, to follow Turner's route.[13] The first pages, therefore, would have been occupied by sheets from the Grenoble sketchbook, since it was in this that Turner had made his more evolved sketches of the first mountainous stretches of his tour, in and around Grenoble and in the Chartreuse. This was perhaps not a sketchbook in the strictest sense—certainly not stiffly or expensively bound like others he had with him—but a soft book contained in a blue wrapper. The leaves of greyish-brown paper (now rather darker) were of French manufacture (made by Jean-Louis Delagarde at the Papeterie du Marais, Seine-et-Marne); with a smaller bound sketchbook, the *France, Savoy, Piedmont* (Turner Bequest; LXXIII) that Turner had been using across France and continued to use around Mont Blanc and Courmayeur, it must have been bought in Paris.

It was as he approached Grenoble that Turner first began using the larger of his Paris purchases. While throughout the tour he took pencil memoranda in the smaller book and others brought from England or bought as he needed them, his resort to the larger pages of toned paper reflected a more pictorial response as he reached the scenery he had really come to see. In Scotland the previous year, he had perfected a subtle and evocative method of drawing in pencil on large sheets of tinted paper, which he prepared himself with a colouring solution; the subjects could be set out on the spot, and were then elaborated with more refined pencil work and given highlights with white gouache. Essentially tonal, atmospheric rather than naturalistic—for the real colours of Scotland Turner had been content to trust to memory—the method had proved highly effective for expansive subjects of lakes and mountains. Now, a year later, Turner could apply it again to grander subjects of the same sort. The drawing style of the *Grenoble* sheets is clearly descended from that of the so-called 'Scottish Pencils', but it has grown in confidence and vigour. Where on-the-spot sketches have been left untouched, they are swift and economical, reflecting Turner's need to gather information as quickly as possible as he travelled. Where they were subsequently worked up as Farington describes, it is with more energy and less conscious polish than in the Scottish drawings; black chalk is sometimes added, white gouache is used more freely, and in a few cases, notably in subjects of the Chartreuse, a limited range of water-

[13] *The Diary of Joseph Farington*, ed. Kenneth Garlick & Angus Macintyre, V, August 1801 - March 1803, 1979, 22 November 1802, p. 1936.

le geste sacrilège de Ruskin nous laisse avec des étiquettes sans objet et des œuvres non identifiées, alors que Turner (très efficacement, Ruskin en convient personnellement!) avait attribué à chacun de ses dessins une identité précise.

Pour la même raison, on ne peut reconstituer la séquence originale des dessins, mais la description des sujets par Farington — «Lyon, Grenoble, Défilé de la Grande et de la Petite-Chartreuse... Chamonix, le Mont-Blanc, etc., Aoste, ..., Saint-Bernard, etc.» — suggère qu'ils étaient disposés selon un ordre topographique, suivant l'itinéraire de Turner[13]. Les premières pages auraient donc été occupées par des dessins du *carnet de Grenoble*, puisque c'est dans ce dernier que Turner avait réalisé les croquis plus travaillés des premiers reliefs du voyage, à Grenoble et ses alentours et dans la Chartreuse. Il ne s'agissait peut-être pas d'un carnet de croquis au sens strict du terme — en tout cas, il n'était pas solidement ou richement relié, comme certains autres qu'il avait emportés —, mais d'un carnet souple enveloppé d'étoffe bleue. Les feuilles de papier brun-gris, aujourd'hui plus sombres, étaient de facture française (faites par Jean-Louis Delagarde à la Papeterie du Marais, Seine-et-Marne); Turner les avait sans doute achetées à Paris avec un carnet relié plus petit, *France, Savoie, Piémont* (Legs Turner; LXXIII), dont il s'est servi dans sa traversée de la France, puis autour du Mont-Blanc et de Courmayeur.

C'est à l'approche de Grenoble que Turner commence à utiliser le plus grand de ses carnets parisiens. Alors que tout au long du voyage il croque des paysages au crayon sur le petit carnet, ou sur d'autres apportés d'Angleterre ou achetés au fur et à mesure de ses besoins, le fait qu'il choisisse des feuilles plus grandes, au papier teinté, dénote une attitude plus «picturale» de sa part, au moment où il découvre ces paysages qui sont le but même de son voyage. L'année précédente, en Ecosse, il avait affiné une technique subtile, évocatrice, de dessin au crayon, utilisant de grandes feuilles de papier teinté qu'il préparait lui-même au moyen d'une solution colorée; il mettait en place les sujets sur le terrain, les retravaillait ensuite plus finement au crayon, et les rehaussait à la gouache blanche. Cette technique, plus expressive d'une tonalité ou d'une atmosphère que naturaliste (Turner ayant simplement confié à sa mémoire le soin de retrouver les couleurs authentiques de l'Ecosse), rend remarquablement justice à ses grands panoramas de lacs et de montagnes. Une année plus tard, Turner peut à présent l'appliquer à des sujets du même genre, mais aux dimensions plus impressionnantes. La technique des pages *de Grenoble* découle manifestement de celle des «crayons

[13] *The Diary of Joseph Farington* (Le Journal de...), Ed. Kenneth Garlick & Angus Macintyre, V, août 1801 - mars 1803, 1979, 22 novembre 1802, p. 1936.

colours—greens, ochres, browns—is also used to beautiful and fresh effect.

Turner's pictorial eye—selecting, arranging, composing—is apparent in almost every page of the *Grenoble* book. These are not spontaneous, *ad hoc* memoranda, but, already, pictures in embryo; often, for example, the sheet is turned from landscape to upright, to enhance the impact of the subject, and figures are added who—as in the case of pilgrims praying at the wayside shrines of the 'desert' of the Chartreuse—probably owe more to Turner's imagination than to observed reality. That imagination, in the earlier pages of the *Grenoble* book, remains essentially classical and picturesque, within the bounds of what Turner already knew. The Isère valley and chains of distant mountains rising from its floor fell naturally into a noble symmetry, while the wooded defiles of the Chartreuse and its fantastic rock formations like the Pic de l'Œillette must have struck him as the very apotheosis of the variety and irregularity admired by contemporary theorists of the Picturesque; had he finished the large watercolour of the Pic that he began on a large sheet of paper (cat. no. 17), it would have been a textbook example of that particular landscape idiom.

So far, Turner carried his preconceptions with him, and could be seen ordering what he saw to fit them. Another, the English concept of the Sublime, with its enthusiasm for the terrible and awe-inspiring in nature, was bound to find its ultimate expression in the high Alps, and Turner must have looked forward to realising the concept more completely than had been possible at home. So he did, but as he approached the wild heart of the Alps, even the Sublime proved inadequate to the sights he saw, and his drawings reveal an artist born anew, finding no previous style or technique, no critical formula fit to serve, and reaching instead within; the finest drawings of 1802 are those in which Turner forgot picture-making altogether in the thrill of instinctive response. And it was that year, on the Montenvers, perhaps, or the Mer de Glace, that Turner began the process of becoming a modern artist—the *first* modern artist.

It is in the larger sheets from his *St Gothard and Mont Blanc* sketchbook that we find these tensions between the pictorial and the instinctive most excitingly worked out. Turner had kept this large book in reserve, in anticipation of the grandest mountain scenery; its pages of white, English paper had been prepared in advance with a grey tint, as a foundation for studies made on the spot in pencil which, once again, would be worked up later with watercolour and gouache. He used it first for an expansive prospect of the Grenoble valley from the Lyons road near La Frette (cat. no. 3), a view that required no artifice to fit the rules of classical composition, then again for two studies of Bonneville from the Geneva road (cat. nos. 22, 24); here

d'Ecosse», mais elle a pris de la vigueur et de l'assurance. Ceux des croquis pris d'après nature qui n'ont pas été retouchés montrent une vivacité et une économie de traits, reflétant la nécessité pour Turner de réunir des informations aussi rapidement que possible durant le voyage. Ceux qui ont été retravaillés par la suite, ainsi que le décrit Farington, l'ont été avec plus d'énergie et moins de polissage que dans les dessins d'Ecosse; on y trouve parfois des ajouts de craie noire, on y observe un usage plus libéral de la gouache blanche et, dans quelques cas, par exemple les paysages de la Chartreuse, on y remarque une gamme restreinte d'aquarelles — des verts, des ocres, des bruns — qui en rehausse la beauté et la fraîcheur.

Le regard du peintre Turner — sélectionnant, ordonnant, composant son sujet — est perceptible sur pratiquement toutes les feuilles du *carnet de Grenoble*. Il ne s'agit pas ici de souvenirs spontanés pris à l'improviste, mais déjà de tableaux en gestation; par exemple, Turner dispose souvent sa feuille verticalement, et non à l'italienne, pour renforcer l'effet du sujet, et il ajoute des personnages qui, comme les pèlerins en prière dans les chapelles du «désert» de la Chartreuse, doivent sans doute plus à son imagination qu'à la stricte observation de la réalité. Comme sur les premières pages du *carnet de Grenoble*, l'imagination se déploie essentiellement dans le cadre du classique et du pittoresque, dans les limites des connaissances déjà acquises par Turner. La vallée de l'Isère et les chaînes de montagnes qui s'y dressent dans le lointain respectent naturellement une symétrie altière; les défilés forestiers de la Chartreuse et ses formations rocheuses fantastiques comme le Pic de l'Œillette ont dû lui apparaître soudain comme le summum de la complexité et de l'irrégularité tant admirées des théoriciens du Pittoresque de l'époque. S'il avait achevé la grande aquarelle qui représente le pic, commencée sur une grande feuille (cat. n° 17), on y verrait un parfait exemple de ce langage du paysage.

Jusque-là, Turner conserve ses théories premières, et on sent qu'il organise ce qu'il voit pour s'y conformer. Par exemple, le concept anglais du «Sublime», avec son enthousiasme pour ce qui terrifie et tout ce qui, dans la nature, force le respect, ne pouvait que trouver aussi son ultime expression avec la chaîne des Alpes. Certainement Turner est-il impatient de pouvoir exprimer plus amplement ce concept que ne le lui permet la Grande-Bretagne. Il s'y livre donc, mais en approchant le cœur sauvage des Alpes; même le Sublime se révèle inadapté face au spectacle de la nature, et ses dessins témoignent de l'émergence d'un nouvel artiste qu'aucun des styles, techniques ou formules étudiés précédemment n'est en mesure de secourir. Cherchant alors au fond de lui-même, Turner réalise les plus beaux dessins de 1802, ceux dans lesquels il oublie complètement l'art de brosser des tableaux, dans l'ivresse de la réponse instinc-

Fig. 6 J.M.W. Turner, *Châteaux de St Michael, Bonneville, Savoy*, 1803 (Yale Center for British Art, New Haven, Connecticut).

Fig. 6 J.M.W. Turner, *Châteaux de Saint-Michel, Bonneville, Savoie*, 1803 (Yale Center for British Art, New Haven, Connecticut, Etats-Unis).

again the dynamics of river, town, bridge and distant mountains evidently struck him as essentially classical, and in one of the three finished oil paintings that he developed from his drawings, the *Châteaux de St Michael, Bonneville, Savoy* (fig. 6), he emphasised this by adding prominent motifs of a road and staffage figures taken over from a picture by Poussin in a London collection, the *Roman Road* (Dulwich College Gallery). At Bonneville Turner was consciously in the business of picture-gathering; the town was then regarded by all travellers as the symbolic gateway to the Alps and it could be expected to prove a popular subject. His sketches were indeed to yield three finished watercolours and a print as well as the oils, and the classical tone of all these was well judged to match the taste of patrons whose recollection of the town was most likely to be as a halting place on a journey to Italy.

Classic harmonies continued to inform Turner's drawings of the approaches to Mont Blanc around Sallanches and Saint-Martin (cat. nos. 25, 26), but as he reached the Chamonix glaciers his drawings pulse with a different energy altogether. The jagged forms of the ice flows, scattered rocks and dead or twisted trees, setting up jarring discontinuities and conflicting patterns of diagonals, are studied in all their strangeness and savagery; no pictorial conventions can contain such things, and Turner threw them away. When he told Farington that the trees he saw were 'bad for a painter', he meant only that they were unpicturesque, not that they should not be painted. They demanded, instead, an honest appraisal of their particular forms and, now at Chamonix and later at Grindelwald

tive. C'est cette année-là, sur le Montenvers peut-être, ou bien la mer de Glace, que Turner amorce son évolution de peintre moderne, le *premier* des modernes.

C'est sur les pages plus grandes de son *carnet du Saint-Gothard et du Mont-Blanc* que sont travaillées de la façon la plus fascinante les tensions entre le pictural et l'instinctif. Turner avait mis de côté ce grand carnet dans l'attente des paysages de montagne les plus spectaculaires; il avait teinté de gris les pages de papier blanc anglais, dans l'intention de dessiner sur place des études au crayon qui seraient aussi retravaillées plus tard à l'aquarelle et à la gouache. Il l'utilise la première fois pour une large perspective de la vallée de Grenoble, vue de la route de Lyon près de La Frette (cat. n° 3), paysage qui ne nécessite aucun aménagement pour se conformer aux règles de la composition classique. Ensuite viennent deux études de Bonneville prises de la route de Genève (cat. n°s 22, 24); là aussi, les rythmes de la rivière, de la ville, du pont et des montagnes dans le lointain le frappent manifestement comme étant fondamentalement classiques; il souligne cet élément dans l'une des trois toiles achevées fondées sur ces dessins, les *Châteaux de Saint-Michel, Bonneville, Savoie* (fig. 6), en y ajoutant des éléments marquants: une route et des personnages, «figurants» repris d'un tableau de Poussin dans une collection londonienne, *La Route romaine* (Dulwich College Gallery). A Bonneville, Turner s'attache consciemment à récolter des images. Cette ville était la porte symbolique des Alpes aux yeux des voyageurs de l'époque; on pouvait donc s'attendre que le sujet rencontre un certain succès. L'intention préalable aux dessins était de réaliser trois aquarelles achevées et une gravure en plus des huiles sur toile, et la tonalité classique de l'ensemble avait été pleinement soupesée, afin de flatter le goût de clients dont le souvenir de la ville devait, le plus souvent, être celui d'une étape sur le chemin de l'Italie.

Les dessins de Turner poursuivent cette veine classique à l'approche du Mont-Blanc, autour de Sallanches et de Saint-Martin (cat. n°s 25, 26), mais, lorsque Turner atteint les glaciers de Chamonix, ils commencent à vibrer d'une énergie radicalement différente. Les formes déchiquetées de la glace, des rochers épars et des troncs d'arbres morts ou tourmentés créent des discontinuités brutales, des rythmes conflictuels de diagonales, et elles sont traitées dans toute leur étrangeté et leur sauvagerie; cela n'entre dans le cadre d'aucune convention picturale, et Turner en a fait fi. Lorsqu'il dit à Farington que les arbres qu'il a vus «ne sont pas bons pour le peintre», il veut simplement dire qu'ils ne sont pas pittoresques, et non qu'ils ne doivent pas être peints. En contrepartie, ces arbres exigent une appréciation franche de leur physionomie particulière, et ici, à Chamonix, comme plus tard à Grindelwald (cat. n° 61), Turner leur rend justice. Tout à coup, l'artiste, pénétrant

(cat. no. 61), he gave them their due. Suddenly, he could make a study of a wooded cleft in a ravine—deep and dark and dank—seem almost sexual in its penetration of the mysteries of nature, and, as often in the Chamonix drawings, startlingly abstract too (cat. no. 65). At Chamonix, Turner wiped the slate clean and began afresh. Where strategies for viewing and interpreting its phenomena did exist, he ignored them; his views of the Mer de Glace were taken from the very surface of the ice, and thus while they look across it to the shelter where the expatriate Englishman Charles Blair and his guests had until recently admired the glacier, took no advantage of its comforts (cat. no. 33). For Turner, only the closest engagement with such a wonder would suffice.

Here, there can be no doubt, iron entered Turner's soul as a landscape painter. The cruel, unpredictable ways of nature were revealed in the tumbled trees and boulders and shifting of the ice. But this was exceptional terrain and it had elicited an exceptional response. A sunnier classical mood reasserted itself as Turner passed through Courmayeur and down the Aosta valley. Here he was using both the *Grenoble* and the larger book, concentrating particularly on views of the ancient castles that guarded the valley from their rocky outposts; his training as a topographical draughtsman would have alerted him to the likely commercial interest in such picturesque architectural subjects, and throughout the tour he took care to amass material on celebrated castles like Chillon or Ringgenberg (cat. nos. 57, 62), whose lakeside settings were as impressive as their history. His drawings sketched out ideas for potential pictures; they could be revised or elaborated later, as in the case of the coloured composition of the Château d'Argent near Villeneuve, from the Fort Roch road (cat. no. 43).

After the Aosta valley, Turner used his large book a little in the Bernese Oberland, but it was near Andermatt, around the Devil's Bridge, that it came once again into its own. Here too, Turner must have been conscious of the potential of this famous site for subsequent commissions. The narrowness and apparent instability of the structure, thrown in a single span over the deep gorge of the Reuss, had made it a classic example of Alpine horrors and, as a site of recent battle, it was topical. Turner coloured two studies, one of the bridge and another of the gorge from the middle of its span; they are among the most thrilling of all the drawings in the book, shamelessly exaggerating the dizzying drop to the river bed (cat. nos. 67, 68), and were later the foundation of two oil paintings (private collection and City Museum and Art Gallery, Birmingham). Meanwhile, Turner had continued to make good use of his smaller *Grenoble* book, notably for drawings of the Great St Bernard Pass, including two of the hospice (cat. nos. 49, 50), and at Martigny, where he identified the ruined tower of La Bâtiaz as the

les mystères de la nature, donne à l'étude d'une faille boisée au fond d'un ravin profond et sombre, suintant d'humidité, une dimension presque sexuelle et aussi, comme souvent d'ailleurs dans les dessins de Chamonix (cat. n° 65), extraordinairement abstraite. Faisant table rase de son passé de peintre, Turner repart de zéro à Chamonix. Quand il dispose de méthodes lui permettant d'appréhender les phénomènes, de les interpréter, il les ignore. Ses vues de la mer de Glace sont prises de la surface même du glacier. On aperçoit de l'autre côté le refuge où Charles Blair, un Anglais expatrié, était récemment venu admirer le glacier en compagnie de ses invités. Mais Turner ne voit pas d'intérêt dans cette commodité (cat. n° 33). Seul le contact direct avec ce phénomène hors du commun peut le satisfaire.

C'est là que, sans l'ombre d'un doute, Turner trempe son âme de paysagiste. Les voies cruelles et imprévisibles de la nature se manifestent dans les troncs, les rochers renversés, les arêtes de la glace. Ce paysage exceptionnel se devait d'engendrer une réponse exceptionnelle. Quand Turner traverse Courmayeur et descend le val d'Aoste, une humeur plus classique et plus ensoleillée va reprendre ses droits. Il utilise alors à la fois le *carnet de Grenoble* et le plus grand carnet, s'attachant particulièrement aux vues de vieux châteaux, qui veillent sur la vallée de leurs promontoires rocheux. Sa formation de dessinateur topographe l'aura certainement averti de l'intérêt commercial possible de ce genre de sujet d'«architecture pittoresque»: tout au long du voyage, il prend soin de recueillir l'image de châteaux célèbres comme Chillon ou Ringgenberg (cat. n°s 57, 62) au passé aussi impressionnant que leur site en bord de lac. Les dessins ébauchent les idées de futurs tableaux; ils pourront être revus ou retravaillés plus tard. C'est le cas par exemple de l'œuvre en couleurs représentant le Château d'Argent près de Villeneuve, vu de la route de Fort Roch (cat. n° 43).

Passé le val d'Aoste, Turner utilise un peu le grand carnet dans l'Oberland bernois, mais celui-ci retrouvera toute son importance vers Andermatt, près du Pont du Diable. Là aussi, Turner a certainement conscience de l'intérêt du célèbre site pour des commandes ultérieures. L'étroitesse, l'instabilité apparente du pont, dont l'arche unique enjambe la vertigineuse gorge de la Reuss, en font un modèle classique de «cauchemar alpin». Site d'une récente bataille, c'est un sujet d'actualité. Turner mettra en couleurs deux études, l'une du pont même, l'autre de la gorge vue du milieu du pont. Ce sont deux des dessins les plus spectaculaires du carnet, exagérant sans vergogne le gouffre vertigineux qui aboutit au lit du torrent (cat. n°s 67, 68). Ils serviront plus tard de base à deux huiles sur toile (collection particulière et City Museum and Art Gallery de Birmingham). Pendant ce temps, Turner continue à se servir

most promising subject for future pictures (cat. nos. 52, 53) but also took lively sketches of the life of the town, which included, while he was there, a saint's feast day (cat. no. 56).

More lively figure sketches, coloured and in some cases of a personal nature, form the contents of the *Swiss Figures* sketchbook (Turner Bequest; LXXVIII) which, with two others, the *Lake Thun* (Turner Bequest; LXXVI) and the *Rhine, Strasburg and Oxford* (Turner Bequest; LXXVII), Turner probably bought in Berne; all these books contain sketches from the later stages of the tour. A few sketches were also added from time to time to the *France, Savoy, Piedmont* sketchbook Turner had bought in Paris (Turner Bequest; LXXIII). Today it is the only sketchbook from the tour still to remain intact, the others having been dismembered by Turner for his album or after his death—a matter particularly to be regretted in the case of the *Lake Thun* which received the day-to-day sketches and memoranda of the later part of the trip. It is important to remember that all of this material was valuable to Turner. Although this exhibition is drawn almost entirely from the larger and more finished sheets that Turner himself was prepared to show to colleagues and clients, the importance of this fund of supporting information must also be recognised. On his future travels, it would usually be the only sort of information Turner gathered on the spot. 1802 was in fact unusual, indeed unique, in the layers of parallel material he gathered at the same time. Unique also was his decision to work up so many drawings as a bait for commissions and as works of reference for himself.

No doubt this happy anomaly can be largely explained by Turner's status as a first-time traveller in 1802, and his consciousness of the importance of the enterprise. He rightly recognised that he had a unique opportunity to transform his art as a landscapist and topographer. Moreover, as we have seen, he was provided transport and assistance, which would have helped him to carry larger sketchbooks than usual and to shift from one to another. But there is a further difference from future practice—the techniques in which the sketches, especially those in the *Grenoble* book, are developed. Though they may be descended from the earlier Scottish drawings of the year before, they had no heirs. One is bound at least to ask whether the generous provider of 1802, Newbey Lowson, was not in some way connected with this too. Could the drawings, or some of them, have been intended for him as a record of his tour, but then after all retained by Turner? Again, could their execution in two stages have been somehow related to Turner's likely additional role as tutor for his own amateur draughtsmanship? Certainly the presence of Lowson was crucial to the tour, and we must imagine it unseen in all Turner's drawings. Turner's early biographer, Thornbury, picked up a story that 'Turner suffered his [Lowson's] com-

abondamment du *carnet de Grenoble*, plus petit, notamment pour des dessins du col du Grand-Saint-Bernard, dont deux représentent l'hospice (cat. n°s 49, 50), et de Martigny, où la tour en ruine de La Bâtiaz (cat. n°s 52, 53) lui apparaît comme un sujet particulièrement prometteur pour de futurs tableaux; mais il croque aussi de vivantes scènes de la ville, dont la fête d'un saint local célébrée durant son séjour (cat. n° 56).

Le *carnet des Personnages suisses* (Legs Turner; LXXVIII) contient des croquis plus animés figurant des personnages colorés, à caractère parfois personnel. Turner a sans doute acheté le carnet à Berne avec deux autres, ceux intitulés *Lac de Thoune* (Legs Turner; LXXVI) et *Rhin, Strasbourg et Oxford* (Legs Turner; LXXVII). Tous contiennent des croquis de la dernière partie du voyage. Turner ajoute de temps à autre quelques esquisses au *carnet de France, Savoie, Piémont* acheté à Paris (Legs Turner; LXXIII). C'est aujourd'hui le seul carnet de voyage qui soit resté intact, les autres ayant été démontés par Turner pour son album, ou après sa mort, ce que l'on déplorera particulièrement dans le cas du *Lac de Thoune*, qui contenait les croquis et mémentos au jour le jour de la dernière partie du voyage. Il faut garder en mémoire que tout ce matériau importait beaucoup à Turner. Si cette exposition se compose presque entièrement des dessins les plus grands et les plus achevés que Turner lui-même avait l'intention de montrer à ses collègues et à ses clients, l'importance documentaire de ce fonds doit aussi être reconnue. Dans ses futurs voyages, c'est le plus souvent le seul genre d'informations que Turner recueillera sur place. Ce voyage de 1802 est inhabituel, unique même, en cela que Turner rassemble simultanément des séries parallèles d'images. Unique aussi sa décision de retravailler un aussi grand nombre de dessins, comme moyen d'attirer les commandes, mais aussi en tant qu'œuvres de référence personnelles.

Le fait qu'en 1802 ait lieu le premier voyage de Turner sur le continent et qu'il soit conscient de l'importance de l'entreprise explique sûrement pour une bonne part cette heureuse anomalie. Lui-même reconnaît avec justesse que c'est là une occasion unique de faire évoluer son art de paysagiste et de topographe. Et aussi, comme nous l'avons vu, transport et assistance lui sont fournis, ce qui lui permet d'emporter des carnets plus importants que ceux qu'il utilise habituellement, et de passer de l'un à l'autre. Mais on constate une autre différence avec une pratique encore à venir: elle concerne les techniques qu'il va développer pour ses croquis, notamment ceux du *carnet de Grenoble*. Bien que procédant vraisemblablement des dessins d'Ecosse de l'année précédente, elles n'auront pas de suite. On peut se demander dans quelle mesure le généreux donateur de 1802, Newbey Lowson, n'y est pas aussi pour quelque chose. Se pourrait-il que les dessins, ou une partie d'entre

pany only on condition that he never sketched any view he himself chose. Turner did not show his companion a single sketch.'[14] But this can safely be discounted. Such selfishness would have been out of the question when the two men were sharing transport, accommodation and (often dangerous or exposed) sketching positions; and it was contrary to the economics of the whole enterprise. It seems strange, with these as they were, that Lowson did not acquire or commission any work from Turner arising from their tour. Maybe after all he had intended to, but then dropped out, leaving Turner in sole possession of the unique library of images on which he could draw, for the benefit of other perhaps richer men, for years to come.

After 1802: Finished Works

Once back in London, Turner lost no time in setting out his stall as an artist who had travelled, and whose vision as a landscapist—exceptionally for his generation—had acquired a European perspective. At the Royal Academy in the spring of 1803 he showed his two oils of Bonneville, interpreting the town and its mountainous setting on contrasting principles of taste and composition, both according to the classic geometry of Poussin (fig. 6) and in a softer, pastoral vein of the Picturesque. Both pictures offered the tantalising prospect of Mont Blanc, but, characteristically, Turner was acknowledging artistic tradition as well as the natural wonders that were about to transform his own art. The same politeness could be felt in a large oil of the Saône valley, *The Festival of the Opening of the Vintage at Macon* (Sheffield Art Galleries and Museums), a memory of his approach towards the Alps realised in the style of Claude. The Dutch marine masters were also acknowledged—though on a larger scale and with a more dynamic execution—in *Calais Pier* (London, National Gallery), which drew on Turner's experiences of his arrival on the Continent.

Turner's twin themes, in effect, were Art and Nature—the echo of Claude, Poussin or Ruysdael, but also the snowy peak of Mont Blanc and the boiling foam of a rough sea. The pictures could not have been better judged to repay the consortium that had sent him to study the masters in the Louvre and provided the springboard for his visit to the Alps. Indeed it was Lord Yarborough, the consortium's organiser, who was to buy the *Macon* when it reappeared in Turner's newly built private gallery the following year, 1804. Although many oils were to be shown in Turner's Gallery in the coming years, one reason for its construction may have been his wish for good display conditions for the grand, finished watercolours he planned to produce

[14] See Powell, *loc. cit.*

eux, aient été réalisés à son intention comme autant de notes de voyage, pour être au bout du compte conservés par Turner? Leur exécution en deux étapes aurait-elle quelque chose à voir avec le fait que Turner jouait probablement aussi le rôle de formateur auprès de ce dessinateur amateur? La présence de Lowson était assurément nécessaire au voyage, et nous devons l'imaginer, quoique invisible, dans chacun des dessins de Turner. Thornbury, son premier biographe, a trouvé un témoignage affirmant que «Turner n'a accepté sa compagnie [celle de Lowson] qu'à la condition qu'il ne dessine aucun des sujets que lui-même choisissait. Turner n'a pas montré le moindre dessin à son compagnon.»[14] Mais cette vision peut être réfutée sans conteste. Tant d'individualisme paraît hors de question, alors que les deux hommes partagent transport, hébergement et des emplacements pour dessiner souvent précaires, voire dangereux. Cela est aussi en totale contradiction avec les objectifs financiers de l'entreprise. Compte tenu de ces derniers, il semble surprenant toutefois que Lowson n'ait pas acheté ou commandé d'œuvres de Turner portant sur leur voyage commun. Peut-être en avait-il eu l'intention après tout, mais avait abandonné le projet, laissant Turner seul maître de cette bibliothèque unique d'images, source d'inspiration pour les années à venir, au profit d'autres clients sans doute plus fortunés.

Après 1802: les œuvres achevées

De retour à Londres, Turner ne perd pas de temps pour imposer son image d'artiste qui a voyagé, et dont la vision de peintre paysagiste a acquis une dimension européenne, fait peu commun dans sa génération. Au printemps 1803, il expose à l'Académie royale ses deux toiles de Bonneville, réinterprétant la ville et son cadre montagnard selon des principes contraires de goût et de composition, à la fois d'après la géométrie classique d'un Poussin (fig. 6) et suivant la veine plus douce et bucolique du Pittoresque. Les deux tableaux présentent une séduisante perspective du Mont-Blanc. Cependant, Turner, de manière caractéristique, rend justice à la tradition picturale, mais aussi aux merveilles de la nature qui sont sur le point de transformer son art. On retrouve ce même respect dans une grande huile sur toile représentant la vallée de la Saône, *La Fête du début des vendanges à Mâcon* (Sheffield Art Galleries and Museums), un mémento de la route des Alpes peint dans le style de Claude Lorrain. Turner rend aussi hommage aux maîtres hollandais de la marine avec *La Jetée de Calais* (Londres, National Gallery), de format plus important, à l'exécution plus dynamique, qui s'inspire de l'expérience de son arrivée sur le continent.

[14] Voir Powell, *loc. cit.*

from his Alpine studies. Two of these appeared with the first Continental oils in the 1803 Academy, as a foretaste of what he had to offer. They were both spectacular, demonstrating at once his virtuoso techniques as a watercolourist and, as in the oils, his ability as an artist to speak in different voices; Art and Nature were the themes here too, in the Poussinesque compositional rigour and (albeit somewhat mysterious) historical narrative of *St Huges denouncing Vengeance on the Shepherd of Cormayer, in the Valley of d'Aoust* (cat. no. 38), and in the unadorned starkness of the mountainscape in *Glacier and Source of the Arveron, going up to the Mer de Glace* (Yale Center for British Art, New Haven, Conn.). Compounded from his drawings of the Aosta valley and around Chamonix, these magnificent watercolours were calculated to display the exceptional material he now had at his disposal, and an imagination inspired, literally, to new heights.

Never one to undersell himself, Turner put a high premium on his new Continental subjects. *Macon* was the subject of a bidding war with his patron, Sir John Leicester, before Yarborough agreed to pay four hundred guineas for it—an extraordinary sum, but as another artist admitted, 'no other persons could paint such pictures'. As for *St Huges*, unsold in 1803, it appeared again in the first exhibition in Turner's Gallery in 1804, where it was bought by the wife of Turner's friend, the architect John Soane, for £52. 10 shillings—also a remarkable figure for a watercolour, and significantly more than she paid at the same time for an English subject. In the same opening exhibition, presumably, were two even more splendid watercolours, in both of which the vertiginous mountain sublimities were enhanced by an upright format—*The Passage of Mount St Gothard, taken from the Centre of the Teufels Bruch (Devil's Bridge), Switzerland* (cat. no. 69), and a view of the Reichenbach falls (Cecil Higgins Art Gallery, Bedford). It was here that such subjects, seen together and hung by Turner himself, would have had the greatest impact; here too that prospective purchasers, if sufficiently serious, could most easily proceed to an inspection of the background to what they saw on the walls—the worked-up sketches that Turner had now mounted and labelled in his album. And it was in just such circumstances, we may guess, that Turner now nurtured his long and rewarding friendship with Walter Fawkes. This most generous of Turner's patrons bought *The Source of the Arveron*, and the St Gothard and Reichenbach watercolours, and went on to buy and commission a number of others based on the 1802 tour, representative of all the variety of lakes, mountains, rivers and cities that it had comprised. Older than Turner, Fawkes had toured and drawn the mountains himself on a Grand Tour in about 1790 that included Switzerland, and a little afterwards had acquired a set of Swiss views by the watercolourist John 'Warwick' Smith. Much as he seems to have prized these, he must

On pourra affirmer que les deux grands sujets de Turner ont été l'Art et la Nature — réminiscences de Claude Lorrain, Poussin ou Ruysdael, mais aussi neiges du Mont-Blanc, écume bouillonnante de la mer démontée. Il n'aurait pas pu mieux choisir ses tableaux en paiement pour l'aide du groupe de mécènes qui l'avait envoyé étudier les grands maîtres au Louvre, lui offrant le tremplin qui lui permettra de découvrir les Alpes. C'est Lord Yarborough, organisateur dudit groupe, qui achètera le tableau de Mâcon l'année suivante, en 1804, après son accrochage dans la galerie privée de Turner récemment construite. Au cours des années qui suivirent, de nombreuses huiles sur toile seront exposées dans la galerie de Turner, mais l'une des raisons de sa construction peut avoir été le souhait du peintre de garantir de bonnes conditions de présentation aux importantes aquarelles achevées qu'il avait l'intention de peindre à la suite de son périple alpin. En 1803, deux d'entre elles ont été exposées à l'Académie aux côtés des premières toiles du continent, un avant-goût de ce que Turner avait à offrir. Toutes deux sont spectaculaires, démonstration à la fois de sa virtuosité technique en tant qu'aquarelliste et, comme pour les huiles sur toile, de son aptitude à maîtriser des langages artistiques différents. Ici aussi, on retrouve les thèmes de l'Art et de la Nature, avec le sujet historique (quoique assez mystérieux) et la rigueur dans la composition «à la Poussin» de *Saint Hugues invoquant la Vengeance sur le berger de Courmayeur, dans le val d'Aoste* (cat. n° 38). On les retrouve dans l'âpreté du paysage de montagne de *Glacier et source de l'Arveyron, en montant vers la mer de Glace* (Yale Center for British Art, New Haven, Connecticut, Etats-Unis). Réalisées à partir de ses dessins du val d'Aoste et des alentours de Chamonix, ces splendides aquarelles ont été sciemment composées pour montrer la richesse exceptionnelle des sources dont il dispose, et déployer une imagination attirée, au propre comme au figuré, vers de nouvelles hauteurs.

N'étant pas un homme à se vendre au rabais, Turner fixe des prix élevés pour ses nouvelles œuvres du continent. Le tableau de Mâcon fait l'objet d'âpres enchères avec son client, Sir John Leicester, avant que Yarborough n'accepte de le payer quatre cents guinées, une somme extraordinaire mais, comme en convient un de ses collègues, «personne d'autre ne peut peindre de pareils tableaux». Pour ce qui est du *Saint Hugues*, invendu en 1803, il réapparaît en 1804 lors de la première exposition de la galerie privée de Turner, et est acheté par l'épouse d'un ami du peintre, l'architecte John Soane, pour 52 livres et 10 shillings, somme étonnante aussi pour une aquarelle, nettement plus élevée que celle qu'elle déboursera en même temps pour un sujet anglais. Il semble que cette même exposition inaugurale comportait également deux aquarelles plus belles encore, dont le format vertical rehaussait les sublimes hauteurs montagneuses, *Le Passage du mont*

have realised that they paled beside Turner's; of some forty finished watercolours that Turner made from 1802, Fawkes acquired about half.

Of two Swiss oils also bought by Fawkes, only one, a calm and Claude-like view of the Lake of Geneva from Montreux, is known today (Los Angeles County Museum of Art); it was shown in Turner's Gallery in 1810, and doubtless appealed because Fawkes had made his own sketching expedition around Geneva. The picture is proof that the classic mode of representing mountain scenery remained a constant with Turner; it was not obliterated by the wild grandeur and those destructive forces of natural change that he had seen in the mountains themselves. Both were assimilated in his art, with permanently enriching results. While his views of lakes or cities have often an idealised and placid contentment, contrary, surely, to the uneasy atmosphere he had experienced and appealing instead to the happier recollections of men like Fawkes who had toured in less turbulent times, he knew also that the Alps were a theatre of war—in nature and in human affairs too. His *Avalanche* (fig. 4) is his most uncompromising account of elemental forces at work in the mountains, while in *Hannibal* (fig. 2) they consume and diminish even heroes who had dared to challenge them—as the modern Napoleon had done. But the most remarkable of Turner's Alpine visions is less familiar—the portentously titled *Goddess of Discord choosing the Apple of Contention in the Garden of the Hesperides* exhibited in 1806 (fig. 7), where a chain of mountains—the synthesis of many sketches—provides the setting for the origins of the Trojan War, and a dragon alludes to the old myth that such creatures inhabited the Alps. The picture has more meanings than need detain us here, but shows the imaginative range that Turner was now bringing to bear on his experiences of 1802—Poussin in the Louvre as well as the Alps. His drawings from that year are not just unique as a contemporary record of what he saw in France and Switzerland; they are the foundation of some of Turner's most magnificent watercolours, and for some of the most extraordinary paintings in all Romantic art.

D. B. B.

Saint-Gothard pris du milieu du Teufelsbrücke (Pont du Diable), Suisse (cat. n° 69), et une vue des chutes de Reichenbach (Cecil Higgins Art Gallery, Bedford, Grande-Bretagne). C'est dans ce lieu que de tels sujets, découverts ensemble et disposés par Turner lui-même, pouvaient avoir l'impact le plus fort. C'est là aussi que les acheteurs éventuels, s'ils étaient assez sérieux, pouvaient procéder le plus facilement à l'étude des sources de ce qu'ils découvraient sur les murs: les croquis retravaillés de Turner, montés et légendés par l'artiste dans son album. Et c'est dans ces circonstances, on peut l'imaginer, que Turner verra naître son amitié, durable et gratifiante, avec Walter Fawkes. Ce client extrêmement généreux y achète *La Source de l'Arveyron* et les aquarelles du Saint-Gothard et de Reichenbach. Il poursuit avec l'achat ou la commande d'un certain nombre d'autres œuvres s'inspirant du voyage de 1802, et qui représenteront toute la gamme des lacs, montagnes, rivières et villes qui l'ont composé. Plus âgé que Turner, Walter Fawkes avait, lui aussi, voyagé et dessiné ces montagnes vers 1790, au cours d'un Grand Tour qui comprenait la Suisse. Peu de temps après, il avait acheté une série de paysages de Suisse peints par l'aquarelliste John «Warwick» Smith. Quel que soit le prix qu'il leur attachait, il a dû se rendre compte de leur faiblesse par rapport à ceux de Turner. De la quarantaine d'aquarelles achevées réalisées par Turner à la suite du voyage de 1802, Fawkes en achète environ la moitié.

Des deux huiles sur toile de Suisse achetées aussi par Fawkes, une seule est connue aujourd'hui, un paysage serein à la Claude Lorrain du lac de Genève, vu de Montreux (Los Angeles County Museum of Art). Exposée en 1810 dans la galerie de Turner, elle a certainement plu à Fawkes parce que son propre voyage de dessinateur amateur avait eu lieu autour de Genève. Ce tableau est la preuve que la manière classique de représenter un paysage de montagne reste une constante chez Turner. Elle n'est pas effacée par la grandeur sauvage, la force destructrice des manifestations de la nature dont il est le témoin dans ces mêmes montagnes. Turner a intégré les deux dans son art, avec des résultats toujours féconds. Ses paysages de lacs et de villes baignent souvent dans un climat enchanteur idéal et serein, qui contraste pourtant, c'est certain, avec celui d'instabilité qu'il a dû ressentir, appelant plutôt les souvenirs plus heureux de voyageurs comme Fawkes, qui avaient entrepris leur Grand Tour à une époque moins perturbée. Mais il savait aussi que les Alpes étaient le théâtre de la guerre, celle de la nature comme celle des hommes. Son *Avalanche* (fig. 4) est sa démonstration la plus absolue des forces élémentaires qui ébranlent les montagnes. Dans *Hannibal* (fig. 2), ces forces consument et diminuent même les héros qui ont l'audace de les défier, comme l'a fait Bonaparte peu de temps auparavant. Mais la plus remarquable des visions inspirées à Turner par les Alpes est moins

Fig. 7 J.M.W. Turner, *The Goddess of Discord choosing the Apple of Contention in the Garden of the Hesperides*, 1806 (Tate Gallery).

Fig. 7 J.M.W. Turner, *La Discorde choisissant la pomme dans le jardin des Hespérides*, 1806 (Tate Gallery).

connue. Il s'agit de *La Discorde choisissant la pomme dans le jardin des Hespérides*, exposée en 1806 (fig. 7), où une chaîne de montagnes, synthèse de nombreux dessins, sert de cadre aux origines de la guerre de Troie; un dragon rappelle l'ancien mythe qui affirme que de telles créatures hantaient autrefois les Alpes. Le tableau offre de nombreuses interprétations que nous n'expliciterons pas ici, mais il illustre le déploiement de l'imagination de Turner à partir de ses expériences de voyage: le Louvre et Nicolas Poussin, les montagnes des Alpes. Non seulement les dessins de 1802 constituent un témoignage d'époque unique sur la France et la Suisse, mais ils forment la base de quelques-unes des plus splendides aquarelles de Turner et de quelques-unes des plus extraordinaires toiles de la période romantique.

D. B. B.

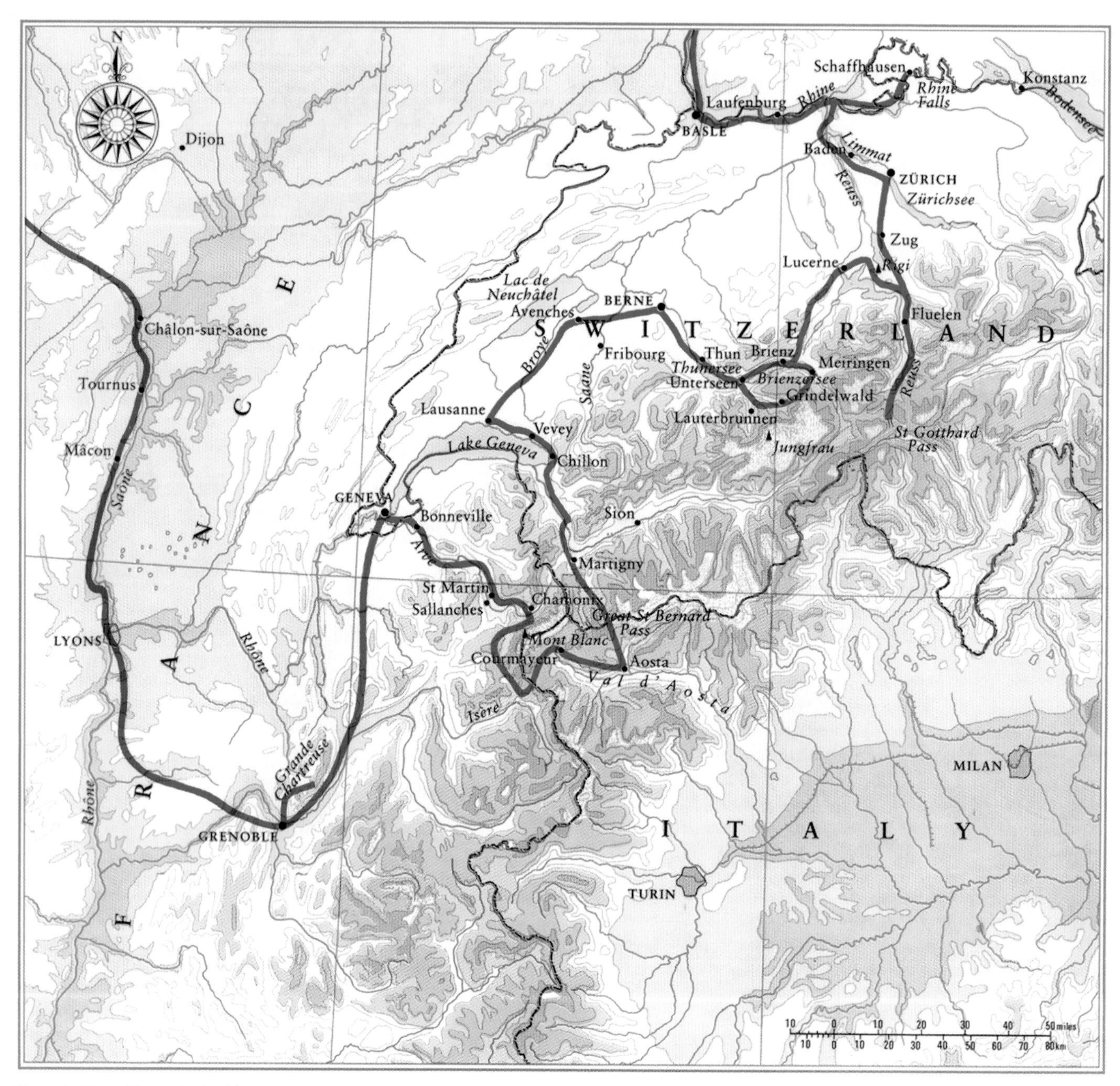

Turner's Route Through the Alps.

L'itinéraire de Turner dans les Alpes.

Catalogue

EXPLANATORY NOTES

Dimensions are given in centimetres, height before width. Watermarks of drawing papers are noted where legible, and colour and condition of papers are described as accurately as possible. Titles of works are usually modern, provided by the present writer or by other scholars, though wherever possible Turner's original French titles—separated by Ruskin but preserved loose in the Tate Gallery—have been reconnected with their subjects and are transcribed in the commentary. Works exhibited by Turner are given their original titles; hence expressions and spelling that may seem anomalous to the modern reader.

The following abbreviations are used:

B & J
Martin Butlin and Evelyn Joll, *The Paintings of J.M.W. Turner*, 1984 ed.

Cook & Wedderburn
E.T. Cook & A. Wedderburn (eds.), *The Works of John Ruskin* (Library Edition), 39 vols., 1903-12, especially vol. XIII.

Hill 1992
David Hill, *Turner in the Alps. The journey through France & Switzerland in 1802*, 1992.

W
Andrew Wilton, *The Life and Work of J.M.W. Turner*, 1979.

NOTES EXPLICATIVES

Les dimensions des œuvres sont indiquées en centimètres, hauteur puis largeur. Le filigrane du papier à dessin est indiqué lorsqu'il est déchiffrable. La couleur et l'état du papier sont décrits aussi fidèlement que possible. De manière générale, les titres des œuvres sont actualisés, qu'ils soient fournis par l'auteur de ces lignes ou par d'autres experts; nous nous sommes néanmoins efforcés, lorsque c'était possible, de relier aux œuvres les titres français originaux de Turner (mis de côté par Ruskin, mais conservés séparément à la Tate Gallery) et de les insérer dans le commentaire. Les œuvres initialement exposées par Turner lui-même ont conservé leur titre original; certaines expressions et orthographes paraîtront donc étranges au lecteur moderne.

Nous avons utilisé les abréviations suivantes:

B & J
Martin Butlin et Evelyn Joll, *The Paintings of J.M.W. Turner*, éd. 1984.

Cook & Wedderburn
E.T. Cook & A. Wedderburn (éditeurs), *The Works of John Ruskin* (Library Edition), 39 volumes, 1903-1912, notamment vol. XIII.

Hill 1992
David Hill, *Turner in the Alps. The journey through France & Switzerland in 1802*, 1992.

W
Andrew Wilton, *Turner, vie et œuvre*, OLF, 1979.

Around Grenoble
Environs de Grenoble

1 A Road near Grenoble

1802
Pencil, black chalk and gouache on brownish paper
28.1 × 21.3 cm
Tate Gallery, Turner Bequest; LXXIV 13, D04505

This and the majority of Turner's drawings around Grenoble were made in his so-called *Grenoble* sketchbook, whose leaves bear the watermark of the Papeterie du Marais.
Turner's label inscribed *Le Entree des Premier Alps approcant de Grenoble* [*sic*] presumably refers to this sheet. Turner's view of the still-distant mountains is conventionally picturesque, but in working up his sketch made on the spot he has used bold effects of chalk and white wash while making good use of the tone of the paper itself. The drawing was admired by John Ruskin, who chose it for display in the National Gallery in 1883 and wrote of it that 'we shall see him [Turner] advance in truth and tenderness, but we cannot much in power' (Cook & Wedderburn, XIII, pp. 261, 634).

1 Route près de Grenoble

1802
Crayon, craie noire et gouache sur papier brun
28,1 × 21,3 cm
Tate Gallery, Legs Turner; LXXIV 13, D04505

Comme la majorité des dessins réalisés par Turner dans les environs de Grenoble, celui-ci provient du *carnet de Grenoble*, dont les feuilles portent le filigrane de la Papeterie du Marais.
Il est probable que la légende écrite par Turner *Le Entree des Premier Alps approcant de Grenoble [sic]* se réfère à ce dessin. Cette vue des montagnes encore lointaines est d'un pittoresque conventionnel, mais, en retravaillant l'esquisse tracée sur place, Turner recourt à d'audacieux effets de craie et de lavis blanc, tout en exploitant finement le ton du papier. John Ruskin, qui admirait fort cette œuvre, choisit de l'exposer en 1883 à la National Gallery. Il écrit à son sujet: «Nous le verrons [Turner] avancer en vérité et en sensibilité, mais il a déjà atteint presque toute sa puissance» (Cook & Wedderburn, XIII, pp. 261, 634).

LXXIV – 13

2 The Isère Valley, looking towards Grenoble from Voreppe

1802
Pencil, black chalk and gouache on brownish paper
21.3 × 28.5 cm
Inscribed by Turner at lower right corner: *Voreppe*
Tate Gallery, Turner Bequest; LXXIV 21 (stamped 'M'), D04514

Turner approached the valley leading to Grenoble through the village of Voreppe, and then passed through it again at the start of his tour of the Chartreuse; so it is uncertain at which stage he made the several drawings of Voreppe in the *Grenoble* sketchbook or the larger sketch also shown here (cat. no. 12). His titles, however, provide some guidance, the label for this sheet, inscribed *La Route de Voreppe a Grenoble*, implying that he was still on his way towards the city. He evidently spent some time in the vicinity, as a group of drawings show him exploring the slopes overlooking the Isère valley.

2 La Vallée de l'Isère, regardant de Voreppe vers Grenoble

1802
Crayon, craie noire et gouache sur papier brun
21,3 × 28,5 cm
Inscription de Turner dans l'angle inférieur droit: *Voreppe*
Tate Gallery, Legs Turner; LXXIV 21 (estampillé «M»), D04514

Turner emprunte la vallée qui mène à Grenoble en passant par le village de Voreppe, pour le traverser à nouveau en amorçant son périple de la Chartreuse; on ne sait donc pas à quelle étape il a dessiné les différentes vues de Voreppe du *carnet de Grenoble*, ni le dessin plus important présenté ici (cat. n° 12). Cependant, ses titres fournissent un certain nombre d'indications. L'étiquette rattachée à cette œuvre, *La Route de Voreppe a Grenoble*, laisse entendre qu'il était encore en chemin vers cette ville. Il séjourne manifestement un moment dans le voisinage, car une série de dessins montre qu'il explore les versants surplombant la vallée de l'Isère.

3 The Isère Valley from above La Frette

1802
Pencil and watercolour with a little gouache on grey-toned paper
31.1 × 47.1 cm
Inscribed in pencil on verso, in an old hand:
Valley of the Rhone
Tate Gallery, Turner Bequest; LXXV 26, D04618

This was Turner's first drawing in his larger sketchbook—later titled the *St Gothard and Mont Blanc*—that he had brought from London. The paper is watermarked 1801, J WHATMAN. The drawing was presumably begun on the spot and then developed afterwards with the addition of colour, and is now unfortunately badly faded. The inaccurate title on the back is not in Turner's hand, and his own label reads *La Route pour Bonvile a Grenoble avec les Alps – le Passage de Iser* [*sic*]. The correct identification of the viewpoint, from the old road above La Frette, was first made by David Hill (1992, pp. 31, 168). In 1808-12 Turner developed this impressive panorama, with the addition of vines on the valley floor and figures tending them, as one of the mountainous subjects in his handbook of landscape styles, the *Liber Studiorum*, under the title *Chain of Alps from Grenoble to Chamberi* [*sic*]. The *Liber* plate and its detailed preparatory drawing (Tate Gallery D08153) lay emphasis on shafts of sunlight breaking out of a clouded sky; here in the original view the light is more diffused and has further lost its intensity due to the fading of the colours. Turner chose six other subjects from the same large sketchbook for inclusion in the *Liber*.

3 La Vallée de l'Isère, vue d'au-dessus de La Frette

1802
Crayon et aquarelle, avec un peu de gouache sur papier teinté de gris
31,1 × 47,1 cm
Au verso, inscription manuscrite ancienne au crayon:
Valley of the Rhone
Tate Gallery, Legs Turner; LXXV 26, D04618

Il s'agit du premier dessin de Turner sur son grand carnet de croquis apporté de Londres, intitulé par la suite *carnet du Saint-Gothard et du Mont-Blanc*. Le filigrane indique 1801, J WHATMAN. On suppose que le dessin a été commencé sur place et enrichi ensuite par un apport de couleur. Il a malheureusement beaucoup pâli aujourd'hui. Le titre inexact au verso n'est pas de la main de Turner. La légende écrite par le peintre nous donne *La Route pour Bonvile a Grenoble avec les Alps – le Passage de Iser [sic]*. C'est David Hill (1992, pp. 31, 168) qui, le premier, en identifie correctement le point de vue: sur la vieille route au-dessus de La Frette. En 1808-1812, Turner développe ce grand panorama, en ajoutant des vignobles dans le fond de la vallée, avec des personnages qui y travaillent, pour l'un des sujets de montagne dans son manuel de styles de paysages, le *Liber Studiorum*, sous le titre *Chaîne des Alpes, de Grenoble à Chambéry*. La planche du *Liber* et son dessin préparatoire détaillé (Tate Gallery D08153) insistent sur les rais de lumière qui traversent le ciel chargé de nuages; ici, dans la vue originale, la lumière est plus diffuse, et perd encore de son intensité du fait de l'affadissement des couleurs. Turner a choisi d'inclure dans le *Liber* six autres sujets de ce même grand carnet de croquis.

4 **The Isère Valley and the Lyon Road**

1802
Pencil, black chalk and gouache on brownish paper
21.5 × 28.5 cm
Tate Gallery, Turner Bequest; LXXIV 20 (stamped 'L'), D04513

Turner's label reads *Valley de Iser*. Ruskin's note on this drawing for the 1888 National Gallery display in London is somewhat misleading, despite its tone of personal empathy with Turner, since it implies that the artist had already been in the Alps when in fact he was still on his way towards them: 'Coming down from the Alps the road through the valley appears disagreeably long and straight. We resolve to have a steady look at it' (Cook & Wedderburn, XIII, pp. 265, 634).

4 **La Vallée de l'Isère et la route de Lyon**

1802
Crayon, craie noire et gouache sur papier brun
21,5 × 28,5 cm
Tate Gallery, Legs Turner; LXXIV 20 (estampillé «L»), D04513

La légende inscrite par Turner est *Valley de Iser*. La note de Ruskin concernant ce dessin pour l'exposition de 1888 à la National Gallery à Londres peut prêter à confusion, en dépit de son ton qui cherche à se rapprocher au plus du peintre; en effet, elle laisse entendre que l'artiste est déjà allé dans les Alpes, alors qu'en réalité il est encore en route vers la montagne: «Descendant des Alpes, la route qui longe la vallée paraît interminable et terriblement rectiligne. Nous nous résolvons à la contempler un moment» (Cook & Wedderburn, XIII, pp. 265, 634).

5 **Near Grenoble; le Néron and Mont St Eynard from the River Drac**

1802
Pencil, black chalk and gouache on brownish paper
21.5 × 28.5 cm
Tate Gallery, Turner Bequest; LXXIV 49 (stamped 'O'), D04542

5 **Près de Grenoble; le Néron et le mont Saint-Eynard, vus du Drac**

1802
Crayon, craie noire et gouache sur papier brun
21,5 × 28,5 cm
Tate Gallery, Legs Turner; LXXIV 49 (estampillé «O»), D04542

LXXIV – O

6 Grenoble from the River Isère

1802
Pencil, black chalk and gouache on brownish paper
21.5 × 28.2 cm
Tate Gallery, Turner Bequest; LXXIV 14a (stamped 'X'), D04507

One of several studies of the city. Here Turner is looking towards Fort Rabot, the Porte de France and the Bastille on the left, and the cluster of old buildings around the convent of the Visitation-de-Sainte-Marie-d'En-Haut (today the Musée dauphinois) at centre. In the distance are the Belledonne chain and Mont Blanc. Additions of white gouache indicate splashes of brilliant sunshine, reminding us that Turner was here in high summer. His label reads *Ville de Grenoble Pont pour les Carousses Port de France Citadel &c* [*sic*].

6 Grenoble, vue de l'Isère

1802
Crayon, craie noire et gouache sur papier brun
21,5 × 28,2 cm
Tate Gallery, Legs Turner; LXXIV 14a (estampillé «X»), D04507

Une des études de la ville. Ici, Turner regarde vers le Fort Rabot, la Porte de France et le Fort de la Bastille sur la gauche, et, au centre, le groupe de bâtiments anciens qui entourent le couvent de la Visitation-de-Sainte-Marie-d'En-Haut (aujourd'hui le Musée dauphinois). On aperçoit dans le lointain la chaîne de Belledonne et le Mont-Blanc. Des rehauts de gouache blanche figurent d'éclatantes taches de lumière, nous rappelant que Turner visite Grenoble en plein été. Sa légende pour cette étude est *Ville de Grenoble Pont pour les Carousses Port de France Citadel &c [sic].*

7 **Grenoble: the Wooden Bridge over the River Isère**

1802
Pencil, black chalk and gouache on brownish paper
21.4 × 28.4 cm
Tate Gallery, Turner Bequest; LXXIV 14 (stamped 'A'), D04506

A view from a different point on the river, nearer the wooden bridge. The Bastille and Fort Rabot are still on the left, while on the right bank, partly concealed by other buildings, is the spire of Saint-André, the 13th-century chapel of the Dauphins. The Belledonne range and Mont Blanc tower over the city, as indicated in Turner's title, *Ville de Grenoble Mt Blanc*. The label also notes, by an initial, a possible commission from Turner's patron, Walter Fawkes, for a finished version of the subject, which was probably in the offing about 1808. However, this seems not to have materialised, and it was not until 1824 that Turner produced the elaborate watercolour now in the Baltimore Museum of Art, Maryland, for another patron, Charles Holford. In the 1824 version the large waterside building on the extreme left is identified as an inn, offering 'Bon logis ici . . . a pied au cheval'.

7 **Grenoble: le pont de bois sur l'Isère**

1802
Crayon, craie noire et gouache sur papier brun
21,4 × 28,4 cm
Tate Gallery, Legs Turner; LXXIV 14 (estampillé «A»), D04506

Vue à partir d'un autre emplacement en bord de rivière, plus près du pont de bois. Le Fort de la Bastille et le Fort Rabot sont toujours sur la gauche; sur la rive droite, partiellement cachée par d'autres bâtiments, s'élève la flèche de Saint-André, la chapelle des Dauphins du XIIIe siècle. La chaîne de Belledonne et le massif du Mont-Blanc dominent la ville, comme l'indique Turner sur son étiquette, *Ville de Grenoble Mt Blanc*. On remarque aussi sur celle-ci une initiale, qui pourrait indiquer une commande, probablement vers 1808, du client de Turner Walter Fawkes pour une version achevée de ce sujet. Mais il ne semble pas qu'elle ait abouti, et ce n'est qu'en 1824 que Turner a réalisé pour un autre client, Charles Holford, l'aquarelle raffinée conservée aujourd'hui au Baltimore Museum of Art dans le Maryland. Dans la version de 1824, le grand bâtiment en bord de rivière à l'extrême gauche est identifié comme une auberge, proposant «Bon logis ici ... a pied au cheval».

8 **Grenoble from the South**

1802
Pencil, black chalk and gouache on brownish paper
21.5 × 28.2 cm
Tate Gallery, Turner Bequest; LXXIV 15 (stamped 'Y'),
D04508

A more distant view, with the city lying to the right. Turner's title reads *Grenoble Mt Blanc*, and his main interest here is the panorama of the mountains surrounding the city, the Chartreuse on the left and Mont Blanc in the right distance. Above the Bastille on the left are the peaks of Le Néron, Charmant Som and Mont Saint-Eynard. Ruskin, in his notes to the 1888 National Gallery exhibition, described this sheet as 'first rate in cloud and hill drawing' (Cook & Wedderburn, XIII, pp. 265, 609, 624).

8 **Grenoble, vue du sud de la ville**

1802
Crayon, craie noire et gouache sur papier brun
21,5 × 28,2 cm
Tate Gallery, Legs Turner; LXXIV 15 (estampillé «Y»),
D04508

Vue plus lointaine, avec la ville s'étendant sur la droite. Turner donne le titre *Grenoble Mt Blanc*, et ce qui l'intéresse ici au premier chef est le panorama des massifs qui entourent la ville: à gauche, la Chartreuse et, au loin à droite, le Mont-Blanc. Au-dessus du Fort de la Bastille, à gauche, se dressent les cimes du Néron, du Charmant Som et du mont Saint-Eynard. Dans ses notes pour l'exposition de 1888 à la National Gallery, Ruskin décrit ce dessin comme étant «de tout premier ordre pour le tracé des nuages et des collines» (Cook & Wedderburn, XIII, pp. 265, 609, 624).

9 **Above Grenoble; the Isère Valley towards Mont Blanc, from the Ramparts of the Fort**

1802
Pencil, black chalk and gouache on brownish paper
21 × 28.4 cm
Tate Gallery, Turner Bequest; LXXIV 3, D04495

Turner's label reads *Mt Blanc; Vale de Iser pour le fort St Louis* [*sic*]. The view is taken from the upper ramparts of the Bastille, which command a panorama of mountains, the Belledonne, Taillefer, Obiou, Vercors, Grésivaudan and, in clear weather—which Turner was fortunate to experience—Mont Blanc.

9 **Au-dessus de Grenoble; la vallée de l'Isère vers le Mont-Blanc, vue des remparts du Fort**

1802
Crayon, craie noire et gouache sur papier brun
21 × 28,4 cm
Tate Gallery, Legs Turner; LXXIV 3, D04495

Turner a donné le titre *Mt Blanc; Vale de Iser pour le fort St Louis [sic].* Ce paysage est vu des remparts supérieurs de la Bastille, qui ouvrent sur un panorama de montagnes: Belledonne, Taillefer, Obiou, Vercors, Grésivaudan et, par temps dégagé, chance qu'a connue Turner, le Mont-Blanc.

The Grande-Chartreuse
La Grande-Chartreuse

10 **A Village near the Chartreuse; ?Voreppe**
1802
Pencil and black chalk on brownish paper
21.9 × 28.5 cm
Inscribed at lower right corner: *Little Chartruse* [*sic*]
Tate Gallery, Turner Bequest; LXXIV 24 (stamped 'B'), D04517

Turner's title reads *La Entrace de Petit Chatruse* [*sic*]. From Grenoble he made an excursion into the Chartreuse, retracing his steps via Voreppe, which may be the village seen here. Turner later described the Chartreuse as 'abounding in romantic matter' and made a number of drawings in his *Grenoble* sketchbook of the area—both of the lower slopes of the mountains looking down to the flat floor of the Isère valley, and of the wooded gorges and defiles at their heart, wherein stood the gated 'desert' of the monastery. Together with Grenoble itself, the Chartreuse marked his first systematic programme of view gathering, and his studies on the spot were later elaborated in some detail, sometimes with watercolour as well as chalks and gouache, reflecting his appreciation of the pictorial value of this famously historic and picturesque region.

10 **Village près de la Chartreuse; ?Voreppe**
1802
Crayon et craie noire sur papier brun
21,9 × 28,5 cm
Inscription dans l'angle inférieur droit: *Little Chartruse [sic]*
Tate Gallery, Legs Turner; LXXIV 24 (estampillé «B»), D04517

Turner fournit le titre *La Entrace de Petit Chatruse [sic]*. Il a fait une excursion dans le massif de la Chartreuse au départ de Grenoble, retournant sur ses pas par Voreppe, qui pourrait être le village aperçu ici. Turner décrira plus tard la Chartreuse comme «regorgeant de sujets romantiques», et il en dessine un certain nombre dans son *carnet de Grenoble*, soit au départ des premiers versants, le regard plongeant vers le fond plat de la vallée de l'Isère, soit des gorges et des défilés boisés au cœur du massif, où se trouve le «désert» enclos de barrières du monastère. Avec Grenoble, la Chartreuse représente sa première campagne systématique de recueil d'images, et ses études d'après nature seront plus tard enrichies et retravaillées, parfois à l'aquarelle, et aussi à la craie et à la gouache, indice de la valeur picturale à ses yeux de cette région célèbre sur les plans historique et pittoresque.

11 **The Post-House, Voreppe, with the Grande Aiguille beyond**

1802
Pencil, black chalk and gouache on brownish paper
21.9×25.3 cm
Tate Gallery, Turner Bequest; LXXIV 22, D04515

Turner's title, *Entrance to the Petit Chartreuse, with Voreppe Post House*, suggests that this drawing was made as he returned through the village on his way to the Chartreuse. The vehicle waiting outside the inn is presumably his own cabriolet, which he would have left here while continuing along the mountain path by mule and on foot.

11 **Le Relais de poste, Voreppe, avec au fond la Grande Aiguille**

1802
Crayon, craie noire et gouache sur papier brun
21,9×25,3 cm
Tate Gallery, Legs Turner; LXXIV 22, D04515

Le titre donné par Turner, *Entrance to the Petit Chartreuse, with Voreppe Post House*, suggère que le dessin a été réalisé quand il est repassé dans le village, en route pour la Chartreuse. La voiture qui se trouve devant l'établissement est sans doute son cabriolet, qu'il a dû abandonner sur place afin de poursuivre par un sentier de montagne à dos de mulet et à pied.

12 **Near Voreppe**

1802
Pencil and black chalk on white paper
35.3 × 48.1 cm
Inscribed at lower right corner: *Voreppe*
Tate Gallery, Turner Bequest; LXXX A, D04894

Besides working in his sketchbooks, Turner made several studies on larger separate sheets of paper that he had with him. The unusual technique of this example—traditionally described as black chalk and stump—is reminiscent of an earlier artist much admired by Turner, Richard Wilson. It has been used very effectively to suggest the contours of mountains rising from a valley floor presumably shrouded in morning mist; slight indications of a boat seem to have been added in ink, fixing Turner's position near the river; his inscription gives it as near Voreppe.

12 **Près de Voreppe**

1802
Crayon et craie noire sur papier blanc
35,3 × 48,1 cm
Inscription dans l'angle inférieur droit: *Voreppe*
Tate Gallery, Legs Turner; LXXX A, D04894

Turner dessine sur ses carnets de croquis, mais il fait aussi plusieurs études sur de grandes feuilles de papier séparées qu'il a emportées. La technique inhabituelle utilisée ici, traditionnellement appelée «craie noire et bout de crayon», rappelle un peintre plus ancien que Turner admirait beaucoup, Richard Wilson. Il l'utilise avec beaucoup d'adresse pour suggérer le profil des montagnes qui s'élèvent du fond de la vallée, sans doute noyée dans les brumes matinales; il semblerait qu'il ait rajouté à l'encre la silhouette ébauchée d'un bateau, indiquant la position du peintre près de la rivière; son inscription indique le voisinage de Voreppe.

13 **In the Grande Chartreuse**

1802
Pencil, black chalk and gouache on brownish paper
21.3 × 28.3 cm
Tate Gallery, Turner Bequest; LXXIV 26 (stamped 'T'), D04519

One of the most finished and complex compositions of the Chartreuse series from the *Grenoble* sketchbook. The exact location of the subject is uncertain, but the rocky outcrops and pillars suggest the approaches to the Gorges du Guiers Mort, while the roadside shrine marks the proximity of the monastery. This is perhaps the road towards it from Saint-Laurent-du-Pont.

13 **Dans la Grande-Chartreuse**

1802
Crayon, craie noire et gouache sur papier brun
21,3 × 28,3 cm
Tate Gallery, Legs Turner; LXXIV 26 (estampillé «T»), D04519

Un des sujets les plus complexes et les plus aboutis du groupe sur la Chartreuse du *carnet de Grenoble.* La localisation précise de la scène est incertaine, mais les formations rocheuses en piliers indiqueraient l'approche des gorges du Guiers Mort; le sanctuaire au bord de la route marque la proximité du monastère. Il s'agit peut-être de la route qui relie Saint-Laurent-du-Pont au monastère.

LXXIV — T

14 **A Bridge in the Grande Chartreuse**

1802
Pencil, black chalk and gouache on brownish paper
28.2 × 21.5 cm
Tate Gallery, Turner Bequest; LXXIV 30, D04523

Turner's label reads *Le Petit Pont G C*; again the subject has not been identified precisely.

14 **Pont dans la Grande-Chartreuse**

1802
Crayon, craie noire et gouache sur papier brun
28,2 × 21,5 cm
Tate Gallery, Legs Turner; LXXIV 30, D04523

Turner donne comme indication *Le Petit Pont G C*; ce paysage n'a pas non plus été identifié avec précision.

LXXIV — 30

15 **Fourvoirie, Gorges du Guiers Mort, Grande Chartreuse**

1802
Pencil, black chalk and gouache on brownish paper
20.7 × 28.1 cm
Inscribed at lower right corner: *Chartruse*
Tate Gallery, Turner Bequest; LXXIV 23, D04516

Turner's label reads *Le Entrance de Chartruse Moulins de Eau* [*sic*]. This village around a bridge and watermill was formerly thought to be Voreppe, but has been more convincingly identified by David Hill (1992, p. 36) as Fourvoirie; Turner made another drawing of the same bridge. This was possibly the same mill in which, in 1816 after their return to the monastery back from their Napoleonic expulsion, the monks began the first commercial production of their traditional local liqueur; during the war the local industries supported by the monks, timber and steel mills, had been put to the service of the cannon foundry installed in the monastery itself. Such operations were under military guard, so Turner would not have been able to approach too close, and his drawings of such sensitive sites probably owed more to memory than most of the series. The Fourvoirie mill was destroyed by an avalanche in 1935.

15 **Fourvoirie, Gorges du Guiers Mort, Grande-Chartreuse**

1802
Crayon, craie noire et gouache sur papier brun
20,7 × 28,1 cm
Inscription dans l'angle inférieur droit: *Chartruse*
Tate Gallery, Legs Turner; LXXIV 23, D04516

Turner propose la légende *Le Entrance de Chartruse Moulins de Eau [sic].* On a pensé au départ que ce village, avec son pont et son moulin, était Voreppe, mais David Hill (1992, p. 36) l'identifie de façon plus convaincante comme étant Fourvoirie; Turner a fait un autre dessin de ce même pont. Il se peut qu'il s'agisse du moulin dans lequel, en 1816, après leur retour au monastère dont ils avaient été précédemment chassés par Napoléon, les moines ont commencé à produire leur liqueur traditionnelle de façon commerciale; pendant la guerre, les activités locales menées par les moines, exploitation de la forêt et production d'acier, avaient été mises au service de la fonderie de canons installée au sein même du monastère. Ces opérations ayant lieu sous contrôle militaire, Turner ne peut pas s'être approché de trop près, et ses dessins de sites aussi «sensibles» doivent sans doute beaucoup plus à sa mémoire que la plupart des autres. Le moulin de Fourvoirie a été détruit en 1935 par une avalanche.

LXXIV – 13

16 **The Pic de l'Oeillette, Gorges du Guiers Mort, Grande Chartreuse**

1802
Pencil, black chalk and gouache on brownish paper
28.4 × 21.1 cm
Tate Gallery, Turner Bequest; LXXIV 34, D04527

After Fourvoirie, Turner entered the Gorges du Guiers Mort, a deep rocky valley with waterfalls in the tumbling river and curious outcrops and spires of limestone. This marked the 'route du désert' towards the monastery, whose territory was guarded by closed gates, one of which is seen here beside the most prominent of the limestone needles, the Pic de l'Œillette. His drawing gives no hint that the monastery area was now under military guard; he would have been more likely to find soldiers here than pilgrims praying at a shrine, but in developing his sketch brought imagination as well as memory to bear, ignoring the current situation and evoking instead the true, historic character of the 'desert' as a place of retirement and religious meditation.

16 **Le Pic de l'Œillette, Gorges du Guiers Mort, Grande-Chartreuse**

1802
Crayon, craie noire et gouache sur papier brun
28,4 × 21,1 cm
Tate Gallery, Legs Turner; LXXIV 34, D04527

Après Fourvoirie, Turner pénètre dans les gorges du Guiers Mort, grand défilé abrupt aux formations rocheuses et aux flèches calcaires étranges, où le torrent se brise en cascades. Elles marquent la «route du désert» vers le monastère, dont le domaine était protégé par des barrières; on en aperçoit une à côté de l'aiguille calcaire la plus importante, le Pic de l'Œillette. Le dessin ne fournit aucune indication quant à la surveillance militaire éventuelle du domaine; pourtant, il eût été plus logique que Turner rencontrât ici des soldats plutôt que des pèlerins en prière. Mais, en reprenant son dessin, l'imagination a parlé autant que la mémoire, laissant de côté la situation du moment pour évoquer le caractère historique et véritable du «désert», lieu de retraite et de méditation.

17 **The Pic de l'Oeillette, Gorges du Guiers Mort, looking back to St Laurent du Pont**

1802
Pencil, watercolour and gouache on white paper
56.5×72.8 cm
Tate Gallery, Turner Bequest; LXXIX H, D04882

As well as his sketchbooks, Turner carried with him some large, loose sheets of paper, presumably carried in a portfolio. Some of these, including this sheet, were English, made by John Hayes and John Wise of Maidstone, Kent; they were prepared with a grey wash on both sides, like the sheets in the *St Gothard and Mont Blanc* sketchbook. Turner could hardly have handled so large a sheet in the open air, and this colour study was presumably made back in his hotel; nevertheless its free and bold technique, worked almost entirely in watercolour over only the faintest indications in pencil, conveys a sense of spontaneity. Its function was mainly technical; Turner is experimenting with technical shorthand appropriate to the contrasting textures of rock and trees, and conducive to an illusion of immediacy. Lessons learned in private experiments like this were carried into his finished works.

17 **Le Pic de l'Œillette, Gorges du Guiers Mort, en regardant vers Saint-Laurent-du-Pont**

1802
Crayon, aquarelle et gouache sur papier blanc
56,5×72,8 cm
Tate Gallery, Legs Turner; LXXIX H, D04882

Avec ses carnets de croquis, Turner avait emporté de grandes feuilles de papier libre, sans doute rangées dans un carton à dessins. Certaines d'entre elles, dont celle-ci, étaient de provenance anglaise, fabriquées par John Hayes et John Wise de Maidstone, dans le Kent. Les deux faces en étaient préparées à l'aide d'un lavis gris, tout comme les feuilles du *carnet du Saint-Gothard et du Mont-Blanc*. On imagine mal comment Turner aurait pu se servir d'un support aussi grand en plein air; il aura certainement exécuté cette étude en couleurs à son retour à l'hôtel; il n'en demeure pas moins que sa technique, tout en audace et liberté, utilisant presque entièrement l'aquarelle sur d'imperceptibles indications au crayon, donne une impression de spontanéité. L'objet de l'œuvre est essentiellement technique: Turner s'essaie à une méthode de raccourci qui rendrait les textures contrastées des roches et des arbres, et donnerait l'illusion de l'instantané. Ce type d'expérimentation individuelle donne des enseignements qu'il saura transposer dans ses œuvres achevées.

18 **The Gorges du Guiers Mort**

1802
Pencil, watercolour and gouache on brownish paper
28.3×21.2 cm
Tate Gallery, Turner Bequest; LXXIV 33, D04526

One of a small number of sheets from the *Grenoble* sketchbook that Turner worked up with watercolour instead of black chalk; at the same time he probably emphasised the pencil notations originally made on the spot, adding a network of hatched lines to indicate mass and shadow. This view may be taken from near the Porte d'Enclos, the other gateway to the monastery grounds.

18 **Les Gorges du Guiers Mort**

1802
Crayon, aquarelle et gouache sur papier brun
28,3×21,2 cm
Tate Gallery, Legs Turner; LXXIV 33, D04526

Ce feuillet du *carnet de Grenoble* fait partie du petit nombre de ceux que Turner a retravaillés à l'aquarelle et non à la craie noire; ce faisant, il a sans doute accentué les notations d'origine prises sur place au crayon, en ajoutant un réseau de lignes hachurées pour en marquer les ombres et les volumes. Le dessin pourrait avoir été esquissé près de la Porte d'Enclos, l'autre entrée du domaine du monastère.

LXXIV — 33

19 **Part of the Monastery, Grande Chartreuse**

1802
Pencil, black chalk, watercolour and gouache on brownish paper
28.3×21.2 cm
Inscribed at lower left corner: *St Humbert. Well*
Tate Gallery, Turner Bequest; LXXIV 32, D04525

Turner's only drawing of the monastery complex; as it had been turned into a cannon foundry and soldiers were billeted there, he was presumably allowed no further than this outbuilding, and even then would have been unwise to sketch openly, so this beautiful study was probably made from memory. The monastery was founded by St Bruno in 1035, and Turner's reference to St Humbert or Hubert is unexplained.

19 **Partie du monastère, Grande-Chartreuse**

1802
Crayon, craie noire, aquarelle et gouache sur papier brun
28,3×21,2 cm
Inscription dans l'angle inférieur gauche: *St Humbert. Well*
Tate Gallery, Legs Turner; LXXIV 32, D04525

C'est le seul dessin de Turner sur les bâtiments du monastère; il est probable, comme l'ensemble avait été transformé en fonderie de canons et que des soldats y étaient cantonnés, que Turner n'ait pas été admis au-delà de ce bâtiment extérieur. Il aurait sans doute été mal avisé de dessiner ouvertement sur place, et cette magnifique étude a probablement été réalisée de mémoire. Le monastère a été fondé par saint Bruno en 1035, et la référence de Turner à saint Humbert ou Hubert reste inexpliquée.

20 ?**Looking back from the Porte d'Enclos**

?1802
Pencil, black chalk and gouache on brownish paper
28.4×21.2 cm
Tate Gallery, Turner Bequest; LXXIV 35, D04528

20 ?**Paysage vu de la Porte d'Enclos**

?1802
Crayon, craie noire et gouache sur papier brun
28,4×21,2 cm
Tate Gallery, Legs Turner; LXXIV 35, D04528

21 **Rumilly, near Annecy; Houses on the Bank of the River Néphaz**

1802
Pencil, black chalk and gouache on brownish paper
27.5×21.2 cm
Tate Gallery, Turner Bequest; LXXIV 39, D04532

Turner's label reads *Romilly*. Rumilly, between Aix-les-Bains and Annecy, was one of the few places Turner stopped to sketch between Grenoble and Geneva. The subject was first correctly located by Ruskin, as he recounts in a letter to his father from Annecy on 4 September, 1858: 'As I was looking at the map, my eye fell on the name of one of Turner's towns, which I had in vain hunted everywhere for. . .I ordered a couple of horses directly. . .found my town, or village rather. . .Turner's tower, mill wheel, and bridge. . .sketched tower, which was all I wanted, and back here to dinner at five.' The tower still stands, and can be seen from the bridge carrying the Geneva road out of the town (see Hill 1992, p. 42).

21 **Rumilly, près d'Annecy; maisons sur la rive de la Néphaz**

1802
Crayon, craie noire et gouache sur papier brun
27,5×21,2 cm
Tate Gallery, Legs Turner; LXXIV 39, D04532

Sur l'étiquette, Turner a indiqué *Romilly*. Entre Aix-les-Bains et Annecy, Rumilly est l'un des rares endroits où Turner se soit arrêté pour dessiner sur la route entre Grenoble et Genève. C'est Ruskin qui, le premier, a situé exactement le dessin, ainsi qu'il le rapporte dans une lettre d'Annecy à son père du 4 septembre 1858: «Alors que je regardais la carte, mes yeux se portent sur le nom d'une des villes de Turner, que j'avais cherché partout en vain … Je commande immédiatement deux chevaux … je trouve la ville, ou plutôt le village … la tour, la roue du moulin, le pont de Turner … je croque une esquisse de la tour, qui est tout ce qu'il me faut, et suis de retour ici à cinq heures pour le dîner.» La tour est encore debout aujourd'hui; on la voit du pont par lequel la route de Genève sort du village (voir Hill 1992, p. 42).

Towards Mont Blanc: Bonneville to Chamonix

Vers le Mont-Blanc: de Bonneville à Chamonix

22 **Bonneville**

1802
Pencil, watercolour and gouache on paper prepared with a grey wash
31.4×47.2 cm
Inscribed at lower left corner: *Bonneville*
Tate Gallery, Turner Bequest; LXXV 7, D04599

A sheet from the *St Gothard and Mont Blanc* sketchbook. Writing of Bonneville later in the century, Ruskin observed that it 'does not in the least matter to the British public, who rarely stop now at Bonneville even for lunch, and never look at anything on the road to it, being told there is nothing to be seen till they get to Chamonix'. But his generation was used to better roads and faster travel than Turner or his older patrons who had passed this way on their Continental tours before the war. For them, the town served as a symbolic gateway to the Alps, exciting a powerful sense of anticipation as the first views of Mont Blanc appeared, and the number of Turner's views, both on the spot and afterwards exhibited and sold, attests to its significance; indeed Bonneville, and this view in particular, would prove one of the most productive of the entire tour. Even as he sketched it on the spot, Turner was alert to the picturesque contrast of a pastoral foreground and distant mountain splendour, and afterwards he worked the drawing up in some detail. From it, he produced a finished watercolour in about 1808 for Walter Fawkes (private collection; W 381), another version (British Museum, Salting Bequest), two closely related oils exhibited in 1803 (private collection; B & J 46) and 1812 (John G Johnson Collection, Philadelphia; B & J 124), and a plate for the *Liber Studiorum*. Besides the following view, a third more distant and pastoral one of the approaches to the town, also originally from the same sketchbook but long ago detached (British Museum, Lloyd Bequest), served as the basis for a small painting acquired by Fawkes but now untraced.

22 **Bonneville**

1802
Crayon, aquarelle et gouache sur papier préparé au lavis gris
31,4×47,2 cm
Inscription dans l'angle inférieur gauche: *Bonneville*
Tate Gallery, Legs Turner; LXXV 7, D04599

Page du *carnet du Saint-Gothard et du Mont-Blanc*. Plus loin dans le siècle, Ruskin écrira au sujet de Bonneville qu'elle «ne présente strictement aucune espèce d'intérêt pour le public britannique, qui s'arrête rarement maintenant à Bonneville, même pour déjeuner, et ne regarde rien sur la route qui y mène, puisqu'on lui a dit qu'il n'y avait rien à voir avant Chamonix». Mais la génération de Ruskin était habituée à de meilleures routes et à des moyens de transport plus rapides que Turner ou ses clients plus âgés, qui y étaient passés avant la guerre pendant leur Tour du continent. La ville représentait pour eux la porte symbolique des Alpes, faisant naître en eux un très fort sentiment d'anticipation en apercevant les contreforts du Mont-Blanc. Les nombreux paysages de Bonneville que Turner a réalisés sur place, puis exposés et vendus plus tard, en témoignent. Bonneville, et ce paysage en particulier, se révélera être l'un des endroits les plus productifs du circuit. Déjà, tandis qu'il esquisse cette vue sur place, Turner est conscient du contraste pittoresque entre le premier plan bucolique et la splendeur distante des montagnes. Il retravaillera le dessin en détail par la suite. Vers 1808, il en tirera une aquarelle achevée pour Walter Fawkes (collection particulière; W 381), puis une autre version (British Museum, Legs Salting), deux huiles sur toile très proches, exposées en 1803 (collection particulière; B & J 46) et en 1812 (John G Johnson Collection, Philadelphie; B & J 124), et une planche pour le *Liber Studiorum*. En dehors de l'œuvre qui suit, un troisième paysage des abords de la ville, plus éloigné et plus bucolique, provenant aussi du même carnet mais séparé depuis longtemps (British Museum, Legs Lloyd), a servi de base de travail pour un petit tableau, aujourd'hui disparu, acheté par Fawkes.

23 **Bonneville and the Chamonix Road**

*c.*1817
Pencil, gouache and watercolour on paper
38.6 × 49.5 cm
Tate Gallery, Turner Bequest; LXXX H, D04901

This is a composition study made specifically for another picture, and did not begin as a sketch made on the spot. It is based on a coloured drawing originally in the *St Gothard and Mont Blanc* sketchbook, but afterwards in Ruskin's collection (London, Courtauld Institute Galleries), and was made in preparation for a finished watercolour signed and dated 1817, and engraved in 1828. Turner had already exhibited an oil of the same composition, *Châteaux de St Michael, Bonneville, Savoy,* in 1803 and 1804 (Yale Center for British Art, New Haven, Conn.). In contrast to the pastoral and picturesque atmosphere of his other composition of Bonneville from the river, this treatment is constructed on severely geometrical lines, around the motif of the road driving into the mountain massif beyond—a quotation from Poussin's *Roman Road* (London, Dulwich College Gallery), which Turner greatly admired; it is also less literal, Turner having combined several viewpoints and features in a single image.

23 **Bonneville et la route de Chamonix**

vers 1817
Crayon, gouache et aquarelle sur papier
38,6 × 49,5 cm
Tate Gallery, Legs Turner; LXXX H, D04901

Composée en préalable à un autre tableau, cette étude n'a jamais existé sous la forme d'un croquis dessiné sur place d'après nature. Elle s'appuie sur un dessin mis à la couleur qui se trouvait à l'origine dans le *carnet du Saint-Gothard et du Mont-Blanc,* et que l'on retrouve dans la collection de Ruskin (Londres, Courtauld Institute Galleries). Elle a été réalisée en préparation à une aquarelle achevée, signée et datée de 1817, et gravée en 1828. En 1803 et 1804, Turner avait déjà exposé une toile du même sujet, *Châteaux de Saint-Michel, Bonneville, Savoie* (Yale Center for British Art, New Haven, Connecticut, Etats-Unis). Contrastant avec l'atmosphère pastorale et pittoresque de l'autre paysage de Bonneville vu de sa rivière, la composition suit des lignes géométriques sévères, entourant le motif de la route qui s'enfonce dans le cœur du massif montagneux au lointain — une réminiscence de la *Route romaine* de Poussin (Londres, Dulwich College Gallery), que Turner admirait beaucoup; le paysage s'éloigne aussi de la réalité, car Turner y rassemble, dans une seule image, différents éléments et différents points de vue.

24 **Near Bonneville, looking towards Mont Blanc**
1802
Pencil, watercolour and gouache on paper prepared with a grey wash
32×47.5 cm
Tate Gallery, Turner Bequest; LXXV 16, D04608

A sheet from the *St Gothard and Mont Blanc* sketchbook.

24 **Près de Bonneville, regardant vers le Mont-Blanc**
1802
Crayon, aquarelle et gouache sur papier préparé au lavis gris
32×47,5 cm
Tate Gallery, Legs Turner; LXXV 16, D04608

Page du *carnet du Saint-Gothard et du Mont-Blanc.*

25 **St Martin, looking North**

1802
Pencil, black chalk, watercolour and gouache on paper prepared with a grey wash
31.8×47.2 cm
Tate Gallery, Turner Bequest; LXXV 9, D04601

From Bonneville Turner continued down the Arve valley through Cluses and the closely adjacent villages of Saint-Martin and Sallanches, joined by the old Saint-Eloi bridge. Marvellous views could be enjoyed from here on clear days towards Mont Blanc—the first truly unrestricted prospects, indeed, for travellers coming from the north—and back up the valley. This and the following are two of the several drawings made in this part of the valley in his *St Gothard and Mont Blanc* sketchbook. Here he concentrates on the bustle of Saint-Martin, which possessed an important inn, the Hôtel du Mont-Blanc.

25 **Saint-Martin, regardant vers le nord**

1802
Crayon, craie noire, aquarelle et gouache sur papier préparé au lavis gris
31,8×47,2 cm
Tate Gallery, Legs Turner; LXXV 9, D04601

A partir de Bonneville, Turner poursuit la descente de la vallée de l'Arve par Cluses et les villages contigus de Saint-Martin et de Sallanches, reliés par le vieux pont Saint-Eloi. Par temps clair, on bénéficie ici de vues superbes sur le Mont-Blanc, les premières vraies perspectives offertes aux voyageurs arrivant par le nord, ainsi que sur le haut de la vallée. Ce dessin ainsi que le suivant appartiennent à un groupe de paysages de ce coin de vallée assemblés dans le *carnet du Saint-Gothard et du Mont-Blanc.* Turner s'attache ici à rendre l'animation de Saint-Martin, où se trouvait une grande auberge, l'Hôtel du Mont-Blanc.

26 **Mont Blanc from Sallanches**

1802
Pencil, watercolour and gouache on paper prepared with a grey wash
32×37.6 cm
Tate Gallery, Turner Bequest; LXXV 11, D04603

This drawing appears to have been largely made on the spot, and shows less subsequent reworking than others from the same sketchbook; it has been only lightly touched with wash or gouache. Nevertheless it sets out all the main features of a composition that Turner was to render in a finished watercolour, about 1807, perhaps for Walter Fawkes (private collection; W 379). Turner's label for this sketch reads *Le Montagne vis a vis St Martin avec le Arve Savoy*, and the finished version is one of the most complete views of Mont Blanc to result from his tour.

26 **Le Mont-Blanc, vu de Sallanches**

1802
Crayon, aquarelle et gouache sur papier préparé au lavis gris
32×37,6 cm
Tate Gallery, Legs Turner; LXXV 11, D04603

Probablement exécuté en grande partie sur place, ce dessin a été nettement moins retravaillé que d'autres du même carnet; il n'a été que très légèrement retouché au lavis ou à la gouache. Mais il met en place tous les éléments d'un sujet que Turner reprendra vers 1807 dans une aquarelle achevée, peut-être pour Walter Fawkes (collection particulière; W 379). La légende fournie par Turner pour ce dessin indique *Le Montagne vis a vis St Martin avec le Arve Savoy*; la version terminée présente l'un des paysages les plus achevés du Mont-Blanc issus de son voyage.

27 **Mont Blanc from the Arve Valley**

1802
Pencil, watercolour and gouache on paper prepared with a grey wash
31 × 47 cm
Tate Gallery, Turner Bequest; LXXV 47, D04639

Another sheet from the *St Gothard and Mont Blanc* sketchbook; Turner's label reads *River Arve – avec Mt Blanc Savoy.*

27 **Le Mont-Blanc, vu de la vallée de l'Arve**

1802
Crayon, aquarelle et gouache sur papier préparé au lavis gris
31 × 47 cm
Tate Gallery, Legs Turner; LXXV 47, D04639

A nouveau un dessin du *carnet du Saint-Gothard et du Mont-Blanc.* L'étiquette écrite par Turner mentionne *River Arve – avec Mt Blanc Savoy.*

28 **The Arve Valley, with the Castle of St Michel**

1802
Pencil, black chalk, watercolour and gouache
on paper prepared with a grey wash
32 × 47.2 cm
Tate Gallery, Turner Bequest; LXXV 48, D04640

Turner's label reads *Chateau de St Michael Entree de Valey de Chamonix Savoy* [*sic*]. After passing through Servoz, Turner took the road back down to the Arve, passing through the narrow gorge of Les Montées Pélissier with its view of Mont Blanc; here the castle of Saint-Michel guarded the valley, set on a rocky mount. This is one of several views Turner paused to take here, in his *St Gothard and Mont Blanc* sketchbook, before following the wider valley from Les Houches to Chamonix.

28 **La Vallée de l'Arve, avec le Château de Saint-Michel**

1802
Crayon, craie noire, aquarelle et gouache
sur papier préparé au lavis gris
32 × 47,2 cm
Tate Gallery, Legs Turner; LXXV 48, D04640

Turner note *Chateau de St Michael Entree de Valey de Chamonix Savoy [sic].* Après avoir traversé Servoz, les voyageurs reprennent la route qui redescend vers l'Arve, traversant l'étroit défilé des Montées Pélissier, d'où l'on aperçoit le Mont-Blanc. C'est là que, sur son éperon rocheux, le Château de Saint-Michel veille sur la vallée. Turner fait halte à cet endroit pour dessiner plusieurs paysages dans son *carnet du Saint-Gothard et du Mont-Blanc*, avant de s'engager dans la vallée, plus large, qui mène des Houches à Chamonix.

29 The Source of the Arveyron

1802
Pencil, black chalk, watercolour and gouache on paper prepared with a grey wash
31.3 × 46.8 cm
Tate Gallery, Turner Bequest; LXXV 21, D04613

Turner's label reads *Chamoni source de Arveiron* [*sic*]. Having arrived at Chamonix, he took some time exploring the surrounding glaciers, working mainly in the *St Gothard and Mont Blanc* sketchbook, although he also made a larger colour study of this view on one of his larger, loose sheets of paper. Collectively, the Chamonix drawings are among the most extraordinary of the tour, justifying Ruskin's description of them as 'the great Chamonix series'. In close encounters with ice, rocks and trees, Turner now abandoned the classical symmetry that had informed his more distant views of the Alps, and drew with an energy and vigour that seems to match the elemental forces at work in the landscape. While these drawings, like the rest of the sketchbook, would have been worked up later, even these subsequent additions are more robust, and often more vividly coloured, retaining the excitement of the artist's first response. Here, he is looking up at the Glacier du Bois, from which the river emerges, as it descends from the Mer de Glace up in the mountains; in the high distance on the left are the Aiguille du Dru and the Aiguille Verte, and on the right, the Grands Charmoz. The rocky projection on the right is the Rochers des Mottets. In Turner's day the glacier reached nearly half a mile further down than it does today. With the larger colour study, this drawing formed the basis of a finished watercolour made several years later and acquired by Walter Fawkes (Cardiff, National Museum of Wales; W 376).

29 La Source de l'Arveyron

1802
Crayon, craie noire, aquarelle et gouache sur papier préparé au lavis gris
31,3 × 46,8 cm
Tate Gallery, Legs Turner; LXXV 21, D04613

Turner a opté pour la légende *Chamoni source de Arveiron [sic]*. Une fois parvenu à Chamonix, il consacrera du temps à l'exploration des glaciers alentour, dessinant avant tout sur le *carnet du Saint-Gothard et du Mont-Blanc*; il fera néanmoins une étude en couleurs plus importante de ce paysage sur l'une de ses grandes feuilles de papier libre. Les dessins de Chamonix, pris dans leur ensemble, sont parmi les plus extraordinaires du voyage, et justifient la description qu'en donne Ruskin comme étant «la grande série de Chamonix». Au contact de la glace, des rochers et des arbres, Turner abandonne à présent la symétrie classique qui présidait à ses paysages alpins plus distants et dessine avec une vigueur, une énergie qui semblent répondre aux forces élémentaires à l'œuvre dans la nature. A l'instar des autres dessins du carnet de croquis, ils seront retravaillés plus tard, mais même ces retouches présentent plus de force et sont souvent plus vivement colorées: elles ont conservé l'émotion des premières impressions de l'artiste. Ici, il lève les yeux vers le glacier du Bois, d'où sourd la rivière qui descend du haut des montagnes par la mer de Glace; à gauche, au loin en altitude, se dressent l'Aiguille du Dru et l'Aiguille Verte, et, sur la droite, les Grands Charmoz. L'éperon rocheux sur la droite forme les Rochers des Mottets. A l'époque de Turner, le glacier descendait près de huit cents mètres plus bas qu'aujourd'hui. Avec l'étude colorée plus grande, le dessin a servi quelques années plus tard d'appui à une aquarelle achevée, que Walter Fawkes achètera (Cardiff, National Museum of Wales; W 376).

30 **Chamonix and Mont Blanc from the Path to the Montenvers**

1802
Pencil, watercolour and gouache on paper prepared with a grey wash
31.8×47.2 cm
Tate Gallery, Turner Bequest; LXXV 18, D04610

Turner's label reads *Mt Blanc avant – mer de Glace – Montanvert.* Still carrying his large sketchbook, Turner was now on his way up to the Montenvers, having crossed the Arve to the meadows opposite and begun his ascent through the pine forests on the lower slopes of the mountain. In a clearing in the trees, before some tumbled rocks thrown down in a winter avalanche, he has stopped to take a prospect of Mont Blanc; Chamonix lies in the valley below. The drawing was the basis for the finished watercolour also exhibited.

30 **Chamonix et le Mont-Blanc, vus du sentier du Montenvers**

1802
Crayon, aquarelle et gouache sur papier préparé au lavis gris
31,8×47,2 cm
Tate Gallery, Legs Turner; LXXV 18, D04610

Les indications de Turner donnent *Mt Blanc avant – mer de Glace – Montanvert.* Transportant toujours son grand carnet, Turner est maintenant en chemin pour le Montenvers, après avoir traversé l'Arve pour rejoindre les alpages sur l'autre rive et amorcé la montée à travers la forêt de pins qui couvre le pied de la montagne. Il fait halte dans une clairière au milieu des arbres, devant un chaos provoqué par une avalanche hivernale, pour recueillir une perspective sur le Mont-Blanc. Chamonix s'étend en bas dans la vallée. Ce dessin a servi de base à l'aquarelle achevée exposée ici.

31 **The Valley of Chamonix, Mont Blanc in the Distance**

1809
Watercolour and gouache on paper
27.9×39.5 cm
Signed and dated: *J M W Turner RA pp 1809*
The Whitworth Art Gallery, University of Manchester
(WAG.D.1955.18)

The finished watercolour based on the preceding, commissioned by Walter Fawkes. It is unusual in being so fully signed and dated; the initials 'pp' refer to Turner's office as Professor of Perspective at the Royal Academy, to which he had been elected in 1807, and no doubt reflect his pride in the command of grand vistas and spatial recession that are displayed in this view. The dark colouring and mood of the sketch are transformed here into a sunny and bright effect, the better to reveal the splendour of Mont Blanc, while the girl resting on a rock and grazing goats domesticate what had originally struck Turner as a bleak wilderness.

31 **La Vallée de Chamonix, avec le Mont-Blanc dans le lointain**

1809
Aquarelle et gouache sur papier
27,9×39,5 cm
Signé et daté: *J M W Turner RA pp 1809*
The Whitworth Art Gallery, Université de Manchester
(WAG.D.1955.18)

Cette aquarelle achevée fondée sur le dessin précédent est une commande de Walter Fawkes. Elle est inhabituelle en ceci qu'elle est signée et datée de manière très complète; les initiales «pp» font référence à la fonction de Turner comme professeur de perspective à l'Académie royale, à laquelle il a été élu en 1807, et reflètent sans nul doute la fierté du peintre de maîtriser grands panoramas et recul dans l'espace, comme le montre ce paysage. L'aspect et l'humeur sombres de l'esquisse sont transformés ici en une impression de soleil et de lumière, afin de mieux révéler la splendeur du Mont-Blanc. La jeune fille assise sur un rocher, les chèvres au pâturage confèrent une tonalité humaine à un paysage qui avait tout d'abord frappé Turner par sa solitude sauvage.

32 **Chamonix and Mont Blanc from the Slopes of the Montenvers**

1802
Pencil, black chalk, watercolour and gouache on paper prepared with a grey wash
32 × 47.5 cm
Inscribed at lower left: *Ceillio* [?]
Tate Gallery, Turner Bequest; LXXV 15, D04607

Turner's title reads *Chamoni Mt Blanc.* This particularly spirited sketch was begun as Turner continued his climb through the thickly wooded paths up the Montenvers.

32 **Chamonix et le Mont-Blanc, vus des pentes du Montenvers**

1802
Crayon, craie noire, aquarelle et gouache sur papier préparé au lavis gris
32 × 47,5 cm
Inscription en bas à gauche: *Ceillio* [?]
Tate Gallery, Legs Turner; LXXV 15, D04607

Le titre donné par le peintre est *Chamoni Mt Blanc.* Turner commence cette esquisse particulièrement chaleureuse, tandis qu'il poursuit sa montée au Montenvers par des sentiers traversant une épaisse forêt.

33 **Blair's Hut on the Montenvers**

1802
Pencil, black chalk, watercolour and gouache on paper prepared with a grey wash
31.4 × 46.8 cm
Tate Gallery, Turner Bequest; LXXV 22, D04614

Here Turner has ventured on to the surface of the Mer de Glace to look up to the top of the Montenvers. In the distance on the left is the hut built in 1779 by an English resident of Geneva, Charles Blair, for the comfort of himself and other travellers who had climbed to admire the glacier. Turner's label reads *Mer de Glace, le Cabin de Blair, Aiguile du Rouge* [*sic*], and is also inscribed with the initial 'F', referring to the commission from Walter Fawkes for the finished watercolour of this subject (see no. 34).

33 **La Cabane de Blair sur le Montenvers**

1802
Crayon, craie noire, aquarelle et gouache sur papier préparé au lavis gris
31,4 × 46,8 cm
Tate Gallery, Legs Turner; LXXV 22, D04614

Turner s'aventure sur la mer de Glace et lève les yeux vers le sommet du Montenvers. A gauche, au loin, on aperçoit la cabane construite en 1779 par Charles Blair, Anglais habitant Genève, pour accueillir confortablement les voyageurs montés admirer le glacier. Turner a légendé l'œuvre *Mer de Glace, le Cabin de Blair, Aiguile du Rouge [sic].* L'initiale «F», également indiquée, fait référence à une commande de Walter Fawkes pour une aquarelle achevée de ce paysage (voir n° 34).

34 **Blair's Hut on the Montenvers**

1806
Watercolour and gouache on paper
27.5 × 39.1 cm
Courtauld Gallery, London
(Stephen Courtauld Bequest)
[Exhibited London only]

Having been commissioned by Walter Fawkes, this finished version of the above was probably exhibited at Turner's Gallery in 1806. The scientific accuracy of Turner's observation in his sketch begun on the ice itself has needed little elaboration in the commissioned watercolour, and this and the other Alpine subjects in Fawkes's collection were to be commended in 1815 by the botanist Charles Lyell as 'the most superb drawings of the Glaciers by Mr Turner RA that I ever beheld' (Dawson Turner Papers, Trinity College Library, Cambridge).

34 **La Cabane de Blair sur le Montenvers**

1806
Aquarelle et gouache sur papier
27,5 × 39,1 cm
Courtauld Gallery, Londres
(Legs Stephen Courtauld)
[Exposé seulement à Londres]

Commandée par Walter Fawkes, cette version achevée du dessin précédent a sans doute été exposée dans la galerie de Turner en 1806. L'exactitude scientifique des observations de l'artiste pour l'esquisse commencée à même la glace a nécessité peu de travail d'élaboration pour l'aquarelle. En 1815, le botaniste Charles Lyell dit de cette œuvre, ainsi que des autres paysages alpins de la collection de Fawkes, qu'il s'agit de «dessins de glaciers par M. Turner RA, les plus superbes que j'aie jamais vus» (Dawson Turner Papers, Bibliothèque du Trinity College, Cambridge).

35 The Mer de Glace, looking up to the Aiguille de Tacul

1802
Pencil, black chalk, watercolour and gouache
on paper prepared with a grey wash
31.4 × 46.5 cm
Inscribed on verso: *Jura/Montanvert*
Tate Gallery, Turner Bequest; LXXV 23, D04615

Once again Turner has positioned himself on the surface of the glacier to take this view looking south. It is one of the most vividly spontaneous sketches in the *St Gothard and Mont Blanc* sketchbook, and has been worked up with only rudimentary blocks of colour to give shadow and density to the rock needles flanking the Aiguille. No accompanying label has been traced for it and, although long since detached from the sketchbook, it was perhaps considered too slight for inclusion in Turner's album—and perhaps also too uncompromising in its rendering of glacial bleakness. That no finished watercolour was made from it might support the suspicion that it was not shown to prospective patrons, but Turner's own high estimation of it is evident from his choice of this among the Alpine subjects for inclusion in the *Liber Studiorum*, where it appears as *Mer de Glace*. Unusually, Turner seems to have made no intermediary drawing for the *Liber* plate, working direct from the original sketch; the plate, also, was entirely his own work.

35 La Mer de Glace, regardant vers l'Aiguille du Tacul

1802
Crayon, craie noire, aquarelle et gouache
sur papier préparé au lavis gris
31,4 × 46,5 cm
Inscription au verso: *Jura/Montanvert*
Tate Gallery, Legs Turner; LXXV 23, D04615

Turner a encore une fois pris position sur le glacier, tourné vers le sud, pour dessiner ce paysage. C'est l'une des esquisses les plus vives et les plus spontanées de son *carnet du Saint-Gothard et du Mont-Blanc*. Il la retravaille simplement, avec des taches de couleur rudimentaires, conférant ombres et densité aux pics rocheux flanquant l'Aiguille. On n'a pas retrouvé d'étiquette associée à cette œuvre. Séparée du carnet depuis longtemps, peut-être Turner l'avait-il néanmoins considérée trop mince pour figurer dans son album, et aussi, peut-être, trop aride dans son évocation austère de ce monde de glace. Le fait qu'elle n'ait servi de base à aucune aquarelle achevée vient étayer l'hypothèse qu'elle n'a pas été montrée à des clients potentiels, mais la haute estime en laquelle Turner la tient est manifeste dans le choix qu'il fait, parmi ses paysages alpins, de l'inclure dans le *Liber Studiorum*, où elle apparaît sous le titre *Mer de Glace*. Curieusement, Turner ne semble pas avoir fait de dessin intermédiaire pour la planche du *Liber*, travaillant directement à partir de l'esquisse originale. Il reste aussi le seul auteur de la planche proprement dite.

36 **Les Contamines, Dawn**

1802
Pencil, black chalk, watercolour and gouache on paper prepared with a grey wash
32×47.5 cm
Tate Gallery, Turner Bequest; LXXV 24, D04616

From Chamonix Turner's route lay ahead to Courmayeur and the Aosta valley. This meant hard climbing over the Col de Voza and down to Bionnassay and Les Contamines, where he must have broken his journey for the night before setting off for a second day's trek over the Col du Bonhomme. Before leaving the village, Turner began this sketch in his *St Gothard and Mont Blanc* sketchbook, looking down the valley towards Saint-Gervais, with the dawn sun breaking over the Mont Blanc range. His label reads *Contamine – avec Mt Blanc.*

36 **Les Contamines, point du jour**

1802
Crayon, craie noire, aquarelle et gouache sur papier préparé au lavis gris
32×47,5 cm
Tate Gallery, Legs Turner; LXXV 24, D04616

Au départ de Chamonix, l'itinéraire de Turner passe par Courmayeur et le val d'Aoste. Cela suppose la rude ascension du col de Voza, puis la descente vers Bionnassay et Les Contamines, où il aura certainement fait étape pour la nuit avant de repartir pour une deuxième journée d'équipée *via* le col du Bonhomme. Avant de quitter le village, Turner commence ce croquis dans le *carnet du Saint-Gothard et du Mont-Blanc.* Son regard glisse dans la vallée en direction de Saint-Gervais, tandis que le soleil de l'aube paraît sur le massif du Mont-Blanc. La légende de l'artiste indique *Contamine – avec Mt Blanc.*

The Val d'Aosta
Le val d'Aoste

37 **Mont Blanc from above Courmayeur**

*c.*1806
Watercolour on paper
28.1 × 39.8 cm
Courtauld Gallery, London
(Stephen Courtauld Bequest)
[Exhibited London only]

After crossing the Col du Bonhomme Turner would have rested for a second night, presumably at Les Chapieux (see Hill 1992, p. 68), before climbing over the Col de la Seigne and then down the Val Veni to Courmayeur in the Val d'Aosta. This remote frontier of Piedmont is spectacularly surrounded and overhung by mountains, and having set his sketchbooks aside during the long trek from Les Contamines, Turner now began drawing again in earnest, mainly in his smaller *France, Savoy, Piedmont* sketchbook (Turner Bequest; LXXIII). Across two pages of this (67 verso, 68) he made a careful study looking back to the entrance to the Val Veni, with the Brenva glacier descending from the slopes of Mont Blanc, the summit of which appears through broken clouds. From this Turner developed this finished watercolour, in which the pastoral floor of the valley appears in a mood of absolute calm, and the distant mountains are submerged in a burst of misty sunlight—an effect that Turner probably borrowed from another double-page sketch of a different view of the valley in his *Grenoble* sketchbook.

37 **Le Mont-Blanc, vu d'au-dessus de Courmayeur**

vers 1806
Aquarelle sur papier
28,1 × 39,8 cm
Courtauld Gallery, Londres
(Legs Stephen Courtauld)
[Exposé seulement à Londres]

Après le passage du col du Bonhomme, Turner aura fait étape pour une deuxième nuit, sans doute aux Chapieux (voir Hill 1992, p. 68), avant de passer le col de la Seigne et de descendre le val Veni jusqu'à Courmayeur dans le val d'Aoste. Cette frontière retirée du Piémont est entourée et surplombée de montagnes spectaculaires. Turner, qui avait mis de côté son carnet de croquis pendant son long cheminement depuis Les Contamines, recommence à dessiner avec ferveur, pour l'essentiel sur son plus petit carnet dit *de France, Savoie, Piémont* (Legs Turner; LXXIII). Il se retourne pour réaliser une étude attentive de l'entrée par le val Veni sur deux pages (67 verso, 68), avec le glacier de la Brenva qui descend les pentes du Mont-Blanc, dont le sommet apparaît entre les nuages. Turner développera à partir de ce dessin une aquarelle achevée. Les alpages du fond de la vallée y expriment une sérénité absolue; au loin, les montagnes baignent dans la lumière éclatante d'un soleil brumeux, un effet que Turner a certainement emprunté à une autre double page, représentant une vue différente de la vallée, dans son *carnet de Grenoble.*

38 St Huges denouncing Vengeance on the Shepherd of Cormayer, in the Valley of d'Aoust

1803
Watercolour on paper
67.6 × 106 cm
Signed at lower right corner: *J M W Turner*
and also in monogram
The Trustees of Sir John Soane's Museum, London

Exhibited at the Royal Academy in 1803 as one of the first fruits of Turner's tour, and again in the opening exhibition of his own gallery in 1804 when it was bought by the wife of Turner's architect friend John Soane, this grand and sombre watercolour casts the scenery around Courmayeur in a contrasting vein of the historical Sublime. The motif of the road and the women washing clothes at a fountain closely echo the Poussinesque classicism of Turner's composition of Bonneville also exhibited in 1803 (see fig. 6), while the dark and stormy sky riven by lightning but clearing to give a view of Mont Blanc echoes the drama enacted below. Turner's story is obscure, and probably his own invention. St Hugues (also Hugh, Hugo, Ugo; 1053-1132), Bishop of Grenoble, presented St Bruno with the Grande-Chartreuse to build his monastic retreat, and Turner is at least correct in depicting him in the habit of the Carthusians, whose order he co-founded, but no such incident as the one shown here is included in the usual records of his life, and indeed Courmayeur is outside his usual territory. In Turner's imagination, images of divine appeal, intervention and justice, set beneath the contending elements of the skies, may well have seemed appropriate to this frontier region—scenically superb but politically contentious, Italian in culture and character but currently under French control.

38 Saint Hugues invoquant la Vengeance sur le berger de Courmayeur, dans le val d'Aoste

1803
Aquarelle sur papier
67,6 × 106 cm
Signé dans l'angle inférieur droit: *J M W Turner*
et d'un monogramme
The Trustees of Sir John Soane's Museum, Londres

Exposée à l'Académie royale en 1803 comme l'un des premiers aboutissements du voyage de Turner, puis en 1804 encore, lors de l'exposition inaugurale de sa galerie personnelle, à l'occasion de laquelle elle a été achetée par l'épouse de John Soane, un ami architecte de Turner, cette aquarelle sombre et grandiose traite le paysage des environs de Courmayeur dans une veine opposée à celle du Sublime historique. Les motifs de la route et des lavandières à la fontaine rappellent immédiatement le classicisme «à la Poussin» du tableau de Bonneville par Turner, exposé aussi en 1803 (voir fig. 6,), mais le ciel sombre, orageux, troué d'éclairs, qui s'ouvre pour donner une vue du Mont-Blanc, fait écho à la tragédie qui se joue sur la terre. L'histoire peinte par Turner est assez obscure, et sans doute issue de son imagination. Saint Hugues (Hugh, Hugo, Ugo; 1053-1132), évêque de Grenoble, fait don à saint Bruno de la Grande-Chartreuse pour y établir sa retraite monastique. Turner, du moins, donne de lui une description exacte en le représentant vêtu de l'habit des chartreux, dont il fut le cofondateur de l'ordre. Mais aucune anecdote de ce genre n'est rapportée dans les récits courants de sa vie. Courmayeur se trouve d'ailleurs hors de son évêché. De culture italienne mais sous contrôle français à l'époque, cette région frontalière aux paysages splendides, mais sous-tendue de conflits politiques, aura peut-être fait naître dans l'imagination de Turner des scènes d'exhortation, d'intervention et de justice divines, se déroulant sous les éléments déchaînés du ciel.

39 **Morgex, Val d'Aosta, with the Castle of Châtelard**
1802
Pencil and gouache on brownish paper
21.7 × 28.3 cm
Inscribed at lower right corner: *Mordex* [*sic*]
Tate Gallery, Turner Bequest; LXXIV 59, D04552

From Courmayeur Turner continued down the valley past Saint-Didier, at the foot of the Little St Bernard Pass, and through Morgex, the largest village of the Valdigne, the upper valley of the Dora river, where he paused to make a couple of sketches, perhaps including this, of the round tower of the medieval castle of Châtelard. Turner's misspelt inscription, and the shape of the tower and its setting above a wooded valley, allow this identification to be made; he would have been standing with his back to the mountain of La Grivola, looking in the opposite direction to his other view of Morgex in the same sketchbook (Tate Gallery, Turner Bequest; LXXIV 70). From this we can also identify for the first time the real subject of the finished watercolour Turner based upon it (Wolverhampton Art Gallery; W 401). Ruskin, who owned it, had recognised its connection with the sketch, but never its actual subject; on various occasions he referred to the sketch as *Origin of Dark Pastoral* and to his finished version as *Scene in the Savoy, Italy in the Olden Time, Tower on Hill* or *Italian Scene.* Andrew Wilton, publishing Ruskin's drawing following its accession by Wolverhampton (*Turner Studies*, vol. 3, no. 1, 1983, pp. 57-8), also could not identify the subject, but added the plausible suggestion that the sheet exhibited here is not one made on the spot, but a composition study based on a slighter sketch of a very similar scene also in the *Grenoble* sketchbook (Tate Gallery, Turner Bequest; LXXIV D [48]). This certainly bears a closer technical resemblance to the other Morgex view in the sketchbook, mentioned above, while the present drawing already anticipates the idealised pastoral foreground—but not the figures—in the final watercolour.

39 **Morgex, val d'Aoste, avec le Château de Châtelard**
1802
Crayon et gouache sur papier brun
21,7 × 28,3 cm
Inscription dans l'angle inférieur droit: *Mordex [sic]*
Tate Gallery, Legs Turner; LXXIV 59, D04552

De Courmayeur, Turner poursuit sa descente de la vallée en passant devant Saint-Didier, au pied du col du Petit-Saint-Bernard, et par Morgex, le plus gros village de la Valdigne, la haute vallée de la Dora, où il fait halte pour dessiner deux ou trois croquis de la tour ronde du château médiéval de Châtelard, dont celui-ci fait peut-être partie. L'inscription, incorrecte, de Turner ainsi que la forme de la tour et son emplacement en surplomb d'une vallée boisée permettent cette identification. Turner aura, pour dessiner, tourné le dos à la montagne de La Grivola, regardant dans la direction opposée à celle de l'autre paysage de Morgex du même carnet (Tate Gallery, Legs Turner; LXXIV 70). A partir de là, nous pouvons pour la première fois identifier le sujet véritable de l'aquarelle achevée fondée, par Turner, sur ce dessin (Wolverhampton Art Gallery; W 401). Ruskin, qui en était propriétaire, avait reconnu son lien avec l'esquisse, mais pas son sujet authentique. A différentes occasions, il intitule le dessin *Origine de pastorale sombre*, et sa version aboutie *Scène de Savoie, Italie d'autrefois, La Tour sur la colline* ou *Scène italienne.* Publiant le dessin de Ruskin après son acquisition par Wolverhampton, Andrew Wilton (*Turner Studies*, vol. 3, n° 1, 1983, pp. 57-58) n'a pas non plus pu identifier le sujet, mais précise, suggestion plausible, que la page exposée ici n'a pas été réalisée sur place, mais est une œuvre d'étude fondée sur une esquisse plus légère d'un paysage très semblable, également dans le *carnet de Grenoble* [Tate Gallery, Legs Turner; LXXIV D (48)]. Ce dessin présente certainement, sur le plan de la technique, une ressemblance plus grande avec l'autre vue de Morgex mentionnée plus haut et qui se trouve dans le carnet, alors que le dessin exposé ici anticipe déjà le premier plan bucolique et idéalisé (mais pas les personnages) de l'aquarelle finale.

LXXIV – 59

40 **Fort Roch, Val d'Aosta**

1802
Watercolour on paper prepared with a grey wash
30.9 × 47.4 cm
Syndics of the Fitzwilliam Museum, Cambridge
[Exhibited London only]

Originally part of the *St Gothard and Mont Blanc* sketchbook, this sheet was acquired by Ruskin, who identified it as of a scene some ten miles below Courmayeur, and as the source for a watercolour in the collection of Walter Fawkes (W 369). It was also the basis for the following, in which the narrow pass, clinging precariously to the rock, becomes the scene of warfare during the Napoleonic invasion of Italy. See also the following for Cook & Wedderburn's incorrect identification of the place as Fort Bard, and its possible relevance to Turner's battle subject. As Ruskin recognised, it is actually the narrow and ancient road through Fort Roch near La Salle, which huddles against overhanging rocks high above the surging foam of the Dora river. Long since replaced by tunnels, the road that Turner trod can still be traced on foot, and it is still possible to see how in places the rocks were bridged by narrow planks that could be raised for defensive purposes (see Hill 1992, pp. 74-5).

40 **Fort Roch, val d'Aoste**

1802
Aquarelle sur papier préparé au lavis gris
30,9 × 47,4 cm
Syndics of the Fitzwilliam Museum, Cambridge
[Exposé seulement à Londres]

A l'origine partie du *carnet du Saint-Gothard et du Mont-Blanc*, cette page a été achetée par Ruskin, qui l'identifie comme étant un paysage situé à environ quinze kilomètres après Courmayeur, et comme étant la source d'une aquarelle de la collection de Walter Fawkes (W 369). Elle a aussi servi de base à l'aquarelle qui suit, dans laquelle l'étroit passage du col, périlleusement suspendu au roc, devient le théâtre de combats au cours de l'invasion de l'Italie par Bonaparte. On se référera aussi à l'article suivant pour ce qui concerne l'identification inexacte, par Cook & Wedderburn, de l'endroit comme étant Fort Bard, et son lien possible avec la bataille peinte par Turner. Comme l'a vu Ruskin, il s'agit de l'ancienne route étroite qui traverse Fort Roch près de La Salle, blottie au pied de rochers en surplomb dominant les flots écumeux de la Dora. On peut reprendre à pied la route empruntée par Turner, remplacée depuis longtemps par des tunnels; les emplacements des étroites passerelles de planches que l'on pouvait relever dans un but défensif sont toujours visibles sur les rochers (voir Hill 1992, pp. 74-75).

41 **The Battle of Fort Rock, Val d'Aouste, Piedmont, 1796**
1815
Watercolour and gouache on paper
69.6 × 101.5 cm
Signed and dated at lower left: *I M W Turner 1815*
Tate Gallery, Turner Bequest; LXXX G, D04900

This spectacular watercolour was shown at the Royal Academy in 1815, with lines from Turner's manuscript poem *The Fallacies of Hope*, to which he referred from time to time for important pictures; these drew the parallel between the forces of war—represented here in an encounter supposed to have taken place during Napoleon's invasion of Italy in 1796—and nature as epitomised by the Alps. This equation between the destructive and transforming powers of man and nature had been much on Turner's mind in 1802 as he followed routes recently fought over by the opposing armies, and had now returned to haunt him as the long war came to an end. *Fort Rock* was accompanied in the 1815 exhibition by three earlier or previously exhibited Alpine subjects, evidently conceived as a retrospective of his by now substantial body of work derived from his tour. All were from the collection of Walter Fawkes, and comprised a view of the Lake of Lucerne (private collection; W 378), similar in size to *Fort Rock* but whose peaceful mood formed a contrast to it, and two large upright subjects, *The Passage of Mount St Gothard* (cat. no. 70 below) and *The Great Fall of the Reichenbach* (Cecil Higgins Art Gallery, Bedford; W 367), intended perhaps to frame the group. In fact, as the scene of epic crossings by the French and Russian armies and of a celebrated encounter between them in 1799 (see Introduction, and cat. no. 66), the St Gothard Pass was actually a truer reminder of the recent war than Fort Roch, where no specific battle is known to have taken place. Turner's battle prepared specially for the 1815 exhibition is imaginary, unless he had confused or misremembered accounts of a battle at Fort Bard, a narrow defile just past the Great St Bernard Pass; there, in 1800, before their key victory at Marengo, the French had been blocked in their push to retake Italy, but, mounting their cannon on the roof of a nearby church, blasted the Austrian fort into submission. Although he passed nearby in 1802, Turner did not in fact visit Fort Bard that year, but it may be significant that Ruskin—despite his own correct identification of the scenery depicted—had at one time thought that Turner's title was a mistake for Fort Bard.

41 **La Bataille de Fort Roch, val d'Aoste, Piémont, 1796**
1815
Aquarelle et gouache sur papier
69,6 × 101,5 cm
Signé et daté en bas à gauche: *I M W Turner 1815*
Tate Gallery, Legs Turner; LXXX G, D04900

Cette spectaculaire aquarelle a été exposée en 1815 à l'Académie royale de Londres, accompagnée de vers extraits du poème manuscrit de Turner, *Illusions de l'espérance*, auquel il se référait de temps à autre pour ses œuvres importantes. Ces vers établissent un parallèle entre les forces de la guerre, représentées ici dans une rencontre présumée avoir eu lieu au cours de l'invasion de l'Italie par Bonaparte en 1796, et celles de la nature, symbolisées par les Alpes. L'équation entre la puissance destructrice et transformatrice de l'homme et celle de la nature était très présente à l'esprit de Turner en 1802, tandis qu'il empruntait les chemins sur lesquels les belligérants avaient récemment livré combat. A présent que la longue guerre avait trouvé son épilogue, cette image était revenue le hanter. Pour l'exposition de 1815, *Fort Roch* a été accompagné de trois paysages alpins plus anciens ou déjà exposés, formant manifestement une rétrospective du fonds, à présent substantiel, des œuvres dérivées de son voyage. Tous provenaient de la collection de Walter Fawkes. Ils comprenaient une vue du lac des Quatre-Cantons (collection particulière; W 378), de même format que *Fort Roch* mais contrastant par son atmosphère sereine, et deux grands sujets traités verticalement, *Le Passage du mont Saint-Gothard* (cat. n° 70 ci-après) et *La Grande Chute du Reichenbach* (Cecil Higgins Art Gallery, Bedford; W 367), peut-être destinés à encadrer l'ensemble. En fait, le col du Saint-Gothard était plus à même de rappeler le récent conflit que Fort Roch en tant que scène épique de passage des troupes françaises et russes, et emplacement d'une bataille célèbre entre ces deux armées en 1799 (voir Introduction et cat. n° 66). Fort Roch n'a été le lieu d'aucune bataille connue. Celle peinte délibérément par Turner pour l'exposition de 1815 est imaginaire, à moins que celui-ci n'ait confondu ou mal interprété les récits d'une bataille qui avait eu lieu à Fort Bard, étroit défilé juste à la sortie du col du Grand-Saint-Bernard; en 1800, avant la victoire décisive de Marengo, l'avancée des Français, en route pour reconquérir l'Italie, y avait été arrêtée par les Autrichiens. Disposant leurs canons sur le toit d'une église voisine, ils avaient écrasé le fort autrichien et soumis l'ennemi. Turner était passé tout près de Fort Bard en 1802, mais n'y était pas allé. Le fait que Ruskin ait, dans un premier temps, pensé que le titre de Turner provenait d'une confusion avec Fort Bard, en dépit de son identification exacte du lieu, pourrait être riche de sens.

42 **The Chateau d'Argent, above Villeneuve, Val d'Aosta**

1802
Pencil, black chalk and watercolour on brownish paper
21.2 × 28 cm
Tate Gallery, Turner Bequest; LXXIV 8, D04500

As Turner proceeded down the valley, his interest was mainly engaged by the many ancient castles guarding its important routes; the valley had carried the Roman road from Milan to Gaul. As he approached Villeneuve from the Fort Roch road, he had his first sight of the ruins of the Château d'Argent, with Mount Emilius behind it, and paused to make this sketch in his *Grenoble* sketchbook, which he labelled *Chateau de Qart* [*sic*]. (See also the following.)

42 **Le Château d'Argent, au-dessus de Villeneuve, val d'Aoste**

1802
Crayon, craie noire et aquarelle sur papier brun
21,2 × 28 cm
Tate Gallery, Legs Turner; LXXIV 8, D04500

Poursuivant sa descente du val, Turner a surtout prêté attention aux nombreux châteaux anciens qui en gardent les voies importantes; la route romaine qui reliait Milan à la Gaule passait par cette vallée. Approchant de Villeneuve par la route de Fort Roch, il aperçoit pour la première fois les ruines du Château d'Argent, avec derrière le mont Emilius, et fait halte pour réaliser ce dessin sur le *carnet de Grenoble*, qu'il légendera *Chateau de Qart [sic].* (Voir aussi l'article suivant.)

43 **The Chateau d'Argent, above Villeneuve, Val d'Aosta, with Mt Emilius**

*c.*1803?
Pencil and watercolour on paper
20 × 27.3 cm
Tate Gallery, Turner Bequest; LXXX B, D04895

A colour composition study, prepared later from the preceding sketch, with the addition of foreground figures, as the basis for a finished watercolour but left uncompleted. Turner has added a bright, sunny effect, and brought the mountain clearly into focus.

43 **Le Château d'Argent, au-dessus de Villeneuve, val d'Aoste, avec le mont Emilius**

vers 1803?
Crayon et aquarelle sur papier
20 × 27,3 cm
Tate Gallery, Legs Turner; LXXX B, D04895

Etude colorée, composée plus tard à partir du dessin précédent, en y ajoutant les personnages du premier plan, en appui à une aquarelle qui n'a jamais été achevée. Turner ajoute un effet de lumière ensoleillée, et fait clairement apparaître la montagne.

44 **Bridge at Villeneuve, Val d'Aosta**

1802
Pencil, black chalk and watercolour on brownish paper
28.2 × 21.1 cm
Tate Gallery, Turner Bequest; LXXIV 5, D04497

At Villeneuve, Turner made this sketch of the broken bridge over the Dora river in his *Grenoble* sketchbook; his label reads *La Pont cachai a Ville Neuve Valley de Aoust.* In 1813 he made a finished watercolour from it (private collection; W 397), which belonged to Ruskin, and must have referred to it again for a variant view of about 1820 (British Museum; W 403). Ruskin failed to connect his version with the 1802 sketch, and was uncertain in his recollection of the place depicted, though his title *Descent to Ivrea* is correct as far as it goes. The classical symmetry of the view sketched here and developed in the finished watercolours—which indeed have sometimes been thought to be views of Narni—reflects the historic associations of the ruined bridge and tower, and Turner's sense of his proximity to Italy.

44 **Pont à Villeneuve, val d'Aoste**

1802
Crayon, craie noire et aquarelle sur papier brun
28,2 × 21,1 cm
Tate Gallery, Legs Turner; LXXIV 5, D04497

A Villeneuve, Turner dessine le pont effondré sur la Dora dans son *carnet de Grenoble*, et l'intitule *La Pont cachai a Ville Neuve Valley de Aoust.* En 1813, il réalise à partir du dessin une aquarelle achevée (collection particulière; W 397), qui a appartenu à Ruskin. Il s'en est certainement à nouveau inspiré pour un paysage approchant, peint vers 1820 (British Museum; W 403). Ruskin n'a pas vu le lien entre sa version et le dessin de 1802, et est demeuré incertain dans son souvenir du paysage décrit, quoique son titre, *Descente à Ivrea,* n'ait rien d'incorrect. La symétrie classique du paysage dessiné ici, puis retravaillé sur les aquarelles (dont on a parfois imaginé qu'elles étaient des vues de Narni), fait écho à la présence historique du pont et de la tour en ruine, et à la sensation de proximité de l'Italie éprouvée par Turner.

LXXIV — 5

45 **The Chateau de St Pierre, Val d'Aosta**

1802
Pencil, black chalk and gouache on brownish paper
21.8 × 28.4 cm
Tate Gallery, Turner Bequest; LXXIV 51, D04544

Another sheet from the *Grenoble* sketchbook. Turner had now passed through Villeneuve, and he stopped to make several sketches of the 13th-century castle of Saint-Pierre—rebuilt since his visit with additional turrets and towers.

45 **Le Château de Saint-Pierre, val d'Aoste**

1802
Crayon, craie noire et gouache sur papier brun
21,8 × 28,4 cm
Tate Gallery, Legs Turner; LXXIV 51, D04544

Autre feuillet du *carnet de Grenoble*. Turner vient de traverser Villeneuve; il s'arrête pour tracer plusieurs esquisses du Château de Saint-Pierre, datant du XIIIe siècle, reconstruit depuis sa visite avec des tours et des tourelles supplémentaires.

LXXIV – 51

46 **Aosta, Mt Emilius in the Distance**

1802
Pencil, black chalk and gouache on brownish paper
21.1 × 28.1 cm
Tate Gallery, Turner Bequest; LXXIV 11, D04503

The Roman city of Aosta, surrounded by mountains at the foot of the St Bernard Pass, made a profound impression on Turner, as Ruskin recognised. In a characteristic spirit of empathy with the artist, he remarked how Turner particularly contrasted the 'classicalness' of Aosta in its level plain with the 'wild Swiss peaks above', and advised; 'Remember, this was the first sight he ever had of Italy' (Cook & Wedderburn, XIII, pp. 263, 634). This and the two following sheets with views of the city come from the *Grenoble* sketchbook. Here, Turner has taken a survey of the city as he approached it from the north. In the foreground are the walls of the Cimitero Storico di Sant'Orso, and above, over the open gate, can be seen the high, windowed walls of the Roman theatre; to its left is the Porta Praetoria (see the following). Mount Emilius towers in the background, its peaks brightly sunlit.

46 **Aoste, avec le mont Emilius dans le lointain**

1802
Crayon, craie noire et gouache sur papier brun
21,1 × 28,1 cm
Tate Gallery, Legs Turner; LXXIV 11, D04503

Encadrée de montagnes au pied du col du Saint-Bernard, la ville romaine d'Aoste a, comme l'affirme Ruskin, fortement impressionné Turner. Se mettant de manière typique à la place de l'artiste, il note la façon dont Turner insiste sur le contraste entre l'«aspect classique» d'Aoste, dans sa plaine lisse, et, au-dessus, les «pics sauvages de la Suisse», et remarque: «On se souviendra que c'est la première vue qu'il ait eue d'Italie» (Cook & Wedderburn, XIII, pp. 263, 634). Ce dessin ainsi que les deux suivants avec des vues de la ville proviennent du *carnet de Grenoble.* Ici, Turner esquisse la perspective de la ville en l'approchant par le nord. Au premier plan s'étirent les murs du cimetière historique de Sant'Orso; au-dessus, par-delà le portail ouvert, on aperçoit les hauts murs percés d'ouvertures du théâtre romain; à gauche se dresse la Porta Praetoria (voir article suivant). Le mont Emilius domine l'arrière-plan, avec ses cimes éclatantes de lumière.

LXXIV – 11

47 **Aosta; the Porta Praetoria from the Via Sant'Anselmo**
1802
Pencil, black chalk and watercolour on brownish paper
21.1 × 28.2 cm
Tate Gallery, Turner Bequest; LXXIV 9, D04501

This was the main gate of the Roman city.

47 **Aoste; la Porta Praetoria, vue de la Via Sant'Anselmo**
1802
Crayon, craie noire et aquarelle sur papier brun
21,1 × 28,2 cm
Tate Gallery, Legs Turner; LXXIV 9, D04501

Porte principale de la ville romaine.

48 **Aosta; the Arch of Augustus**

1802
Pencil, black chalk and watercolour on brownish paper
21.2 × 28.3 cm
Tate Gallery, Turner Bequest; LXXIV 10, D04502

The arch, in Via Sant'Anselmo, was erected in 24 BC to commemorate the defeat of the Gallic Salassi, whose capital the town had once been, by Terentius Varro. After its incorporation into the Roman Empire, it was renamed Augusta Praetoria. The arch stands near the Roman bridge at the eastern entrance to the city. Ruskin recorded the wording of Turner's label, which has not survived: *Le Arc de Triumph, Ville de Aoust.*

48 **Aoste; l'Arc d'Auguste**

1802
Crayon, craie noire et aquarelle sur papier brun
21,2 × 28,3 cm
Tate Gallery, Legs Turner; LXXIV 10, D04502

Dans la Via Sant'Anselmo, cet arc de triomphe a été érigé en 24 av. J.-C. pour commémorer la victoire de Terentius Varro sur les Salasses, dont Aoste avait été autrefois la capitale. Après son intégration à l'Empire romain, celle-ci a été rebaptisée Augusta Praetoria. L'arc se dresse à proximité du pont romain, à l'entrée est de la ville. Ruskin a relevé le titre, aujourd'hui disparu, donné par Turner: *Le Arc de Triumph, Ville de Aoust.*

The Great St Bernard Pass
Le col du Grand-Saint-Bernard

49 **The Hospice at the Summit of the Great St Bernard Pass**

1802
Pencil, black chalk and gouache on brownish paper
21.4 × 28.4 cm
Tate Gallery, Turner Bequest; LXXIV 55, D04548

After Aosta, Turner had more hard climbing to do, this time over the Great St Bernard Pass. This would have taken a day to the top and another for the descent. He later described the 'Road and accommodations over St Bernard' as 'very bad', and confined his sketching—in his *Grenoble* sketchbook—mainly to the summit, the site of the famous hospice from which generations of Augustinian monks had dispensed hospitality to travellers and rescued them from severe weather. If, as Turner implied, its comforts were less than usual, this must have been due to the wartime situation. Many French and Austrian soldiers had crossed the pass during the campaigns of 1798-1800, and during Napoleon's crossing in May 1800, special provisions had been sent on ahead to the hospice to feed his troops as they arrived. Here Turner records his first sight of the hospice across the small lake at the summit, with Mont Velan in the distance. In working up the sketch later he has managed by effects of hatching and shading to suggest the gathering shadows of evening, while the three figures in the foreground presumably represent himself, Newbey Lowson and their guide. His label reads *Le Sumit de Mont Bernard* [*sic*].

49 **L'Hospice au sommet du col du Grand-Saint-Bernard**

1802
Crayon, craie noire et gouache sur papier brun
21,4 × 28,4 cm
Tate Gallery, Legs Turner; LXXIV 55, D04548

Après Aoste, Turner s'est à nouveau attaqué à la montagne, cette fois-ci avec le col du Grand-Saint-Bernard. L'expédition aura pris deux jours, un pour la montée et l'autre pour la descente. Il décrira plus tard «la route et les installations du Saint-Bernard» comme «très mauvaises» et réservera presque tous ses dessins (dans le *carnet de Grenoble*) au sommet, site du célèbre hospice grâce auquel, depuis des générations, les moines augustins offraient l'hospitalité aux voyageurs et les secouraient par mauvais temps. Si, comme Turner le laisse entendre, le confort était très éloigné de ce à quoi il était habitué, cela devait tenir aux conditions de guerre. De nombreux soldats français et autrichiens avaient franchi le col pendant les campagnes de 1798-1800, et, à l'occasion de la traversée de Bonaparte en mai 1800, un convoi spécial de ravitaillement avait rejoint l'hospice en avant-garde pour nourrir les troupes à leur arrivée. Turner note ici sa première vision de l'hospice, derrière le petit lac du sommet, avec dans le lointain le mont Velan. Retravaillant plus tard le dessin, il réussit à suggérer la tombée progressive du soir au moyen d'effets de hachures et d'ombre. Quant aux trois personnages du premier plan, ils représentent sans doute Turner lui-même, Newbey Lowson et le guide. L'artiste intitule son dessin *Le Sumit de Mont Bernard [sic]*.

50 **The Hospice from beside the Lake**

1802
Pencil, black chalk and gouache on brownish paper
21 × 28.2 cm
Tate Gallery, Turner Bequest; LXXIV 4 (stamped 'W'), D04496

A closer view of the hospice, once again elaborated with three figures, and this time with the last evening sunshine striking the walls. Turner's label reads *Le Convent de St Bernard – Le Col de St Bernard.* He later referred to this drawing when preparing a view of the hospice as an illustration to Samuel Rogers's poem *Italy, 1830.*

50 **L'Hospice, vu de la berge du lac**

1802
Crayon, craie noire et gouache sur papier brun
21 × 28,2 cm
Tate Gallery, Legs Turner; LXXIV 4 (estampillé «W»), D04496

Une vue rapprochée de l'hospice, complétée encore par trois personnages. Cette fois-ci, les derniers rayons du soleil frappent les murs. L'étiquette prévue par Turner indique *Le Convent de St Bernard – Le Col de St Bernard.* Il se référera plus tard à ce dessin pour préparer une vue de l'hospice en illustration au poème de Samuel Rogers *Italie, 1830.*

51 **The Hospice; Colour Study**

*c.*1810
Watercolour on paper
34 × 42.5 cm
Tate Gallery, Turner Bequest; CCLXIII 195, D25317

A later colour study in which Turner has begun to lay out the design and tonal relationships of a proposed finished watercolour. The importance of the hospice as a place of rest and refreshment for generations of travellers and Grand Tourists on their way to Italy made it a natural subject for development into a finished work, but in fact Turner seems to have got no further with the composition.

51 **L'Hospice; étude en couleurs**

vers 1810
Aquarelle sur papier
34 × 42,5 cm
Tate Gallery, Legs Turner; CCLXIII 195, D25317

Il s'agit d'une étude en couleurs plus tardive, dans laquelle Turner commence à mettre en place la composition et les juxtapositions tonales d'un projet d'aquarelle achevée. Pour des générations de voyageurs et de touristes du Grand Tour sur la route de l'Italie, l'importance de l'hospice comme lieu de repos et de ravitaillement en faisait un sujet tout indiqué pour élaborer une œuvre achevée. Toutefois, il semble que Turner en soit resté au stade de cette composition.

Martigny

52 The Road into Martigny; the Castle of La Bâtiaz overlooking the Rhone Valley

1802
Pencil, black chalk and gouache on brownish paper
28.2 × 21.1 cm
Tate Gallery, Turner Bequest; LXXIV 16, D04509

Turner's descent of the St Bernard had brought him over the Swiss border to Martigny—effectively the half-way point of his tour. Here he was able to collect the cabriolet, which had been sent on from Geneva to await him, and take rest and refreshment; the number of sketches he made in and around the town, in his *Grenoble* sketchbook, suggest an extended pause. Here, approaching the town from the south, down the narrow Drance valley, he has already identified the ruins of the 13th-century castle of La Bâtiaz, a fortress of the Bishops of Sion, standing aloft on its vine-covered slopes, as the principal point of interest. The sketch shows a cloudy sky, and seems to have been spattered with raindrops.

52 Entrée de Martigny; le Château de La Bâtiaz dominant la vallée du Rhône

1802
Crayon, craie noire et gouache sur papier brun
28,2 × 21,1 cm
Tate Gallery, Legs Turner; LXXIV 16, D04509

La descente du Saint-Bernard conduit Turner de l'autre côté de la frontière suisse, à Martigny — précisément à la moitié de son circuit. Il y retrouve le cabriolet qui a été envoyé de Genève pour l'attendre, et peut se reposer et se restaurer. Les nombreux dessins qu'il a faits de la ville et de ses environs dans son *carnet de Grenoble* suggèrent une halte prolongée. Dans le présent croquis, s'approchant de la ville par le sud en suivant l'étroite vallée de la Drance, Turner repère déjà comme principal point d'intérêt les ruines du Château de La Bâtiaz datant du XIIIe siècle, orgueilleuse forteresse des évêques de Sion qui se dresse sur les pentes couvertes de vignobles. Le dessin montre un ciel nuageux, et on dirait qu'il a reçu des gouttes de pluie.

53 **Martigny; Bridge over the River Drance, the Chapel of our Lady of Compassion, and La Bâtiaz above**

1802
Pencil, black chalk and gouache on brownish paper
21.4 × 28.4 cm
Tate Gallery, Turner Bequest; LXXIV 2 (stamped 'V'), D04494

At Martigny Turner seems to have stayed at 'Le Cygne', rather than at the more expensive 'La Grande Maison'. He spent some time drawing the town and surroundings, and here has gone down to the banks of the Drance to take a carefully composed view looking up to the castle tower. His label reads *Le Pont de Martigny dans le Vallais.* There is a sketch of Turner's cabriolet on the back of this drawing.

53 **Martigny; pont sur la Drance, la chapelle de Notre-Dame-de-la-Compassion, et La Bâtiaz au-dessus**

1802
Crayon, craie noire et gouache sur papier brun
21,4 × 28,4 cm
Tate Gallery, Legs Turner; LXXIV 2 (estampillé «V»), D04494

Il semblerait que Turner soit descendu à l'Auberge du Cygne, à Martigny, plutôt qu'à La Grande Maison, plus luxueuse. Il passe du temps à dessiner la ville et ses environs; ici, il est descendu vers les berges de la Drance pour croquer un paysage composé avec soin, les yeux levés vers la tour du château. Il mentionne sur l'étiquette *Le Pont de Martigny dans le Vallais.* Au verso de ce dessin se trouve une esquisse du cabriolet de Turner.

LXXIV – V

54 **Martigny; La Bâtiaz overlooking a busy Street**
1802
Pencil, black chalk and gouache on brownish paper
28.5 × 21.2 cm
Tate Gallery, Turner Bequest; LXXIV 54, D04547

Turner's label reads *Le Chateaux de Martingny* [*sic*]. He later referred to this drawing, extending the view on the left to include the inn 'Le Cygne', for an illustration to Samuel Rogers's *Italy, 1830.*

54 **Martigny; La Bâtiaz surplombant une rue animée**
1802
Crayon, craie noire et gouache sur papier brun
28,5 × 21,2 cm
Tate Gallery, Legs Turner; LXXIV 54, D04547

Turner intitule cette œuvre *Le Chateaux de Martingny [sic].* Il s'en inspirera ultérieurement, en élargissant le point de vue sur la droite pour inclure l'Auberge du Cygne, comme illustration au poème *Italie, 1830* de Samuel Rogers.

LXXIV – 54

55 **Martigny**

*c.*1826
Pencil and watercolour on paper
25.4 × 28.6 cm
Watermark; 1826
Tate Gallery, Turner Bequest; CCLXXX 154, D27671

This vignette of Martigny is included here as an example of another aspect of Turner's subsequent use of his drawings from the 1802 tour—distinct, that is to say, from his production of finished watercolours for exhibition or on commission. It was worked up from the preceding drawing as one of a series of illustrations to Samuel Rogers's poem *Italy*. The poem had first been published in 1821-2 and 1824, with limited success. Rogers hoped that Turner's illustrations would relaunch the work in a more appealing form, and he was fully justified in these expectations; the illustrated edition, published in 1830, proved to be a phenomenal success, and in turn launched Turner on a new career as an illustrator of contemporary literature. The watermark of this sheet, dated 1826, provides important evidence of when Turner began to work on the vignettes. The subjects—which also included revisions of the 1802 drawings of Aosta and of the Great St Bernard Hospice—were chosen by Rogers, who further 'suggested the character of the pictures'. Martigny serves as the setting for the section of *Italy* entitled 'Marguerite de Tours'—a romance of a girl from the Aosta valley whose elopement with a 'townsman of Martigny' led to a long separation from her father, but who eventually undertakes an arduous mountain journey to be reconciled with him. Rogers associates his story with the inn, 'Le Cygne', shown in Turner's vignette:

> And should I once again, as once I may,
> Visit MARTIGNY, I will not forget
> Thy hospitable roof, MARGUERITE DE TOURS;
> Thy sign the silver swan....

But, as Ruskin recalled (Cook & Wedderburn, XIII, p. 203), this had also been Turner's inn, and the cabriolet drawn up outside is surely a memory of his own arrival there, so that his personal experience fuses with the poet's fanciful recollections. Moreover, by the time of publication, 1830, both Turner and Rogers may have wished to commemorate the inn's landlord, always popular with British visitors but recently tragically killed in a deluge (see Jan Piggott, *Turner's Vignettes*, Tate Gallery exhibition catalogue, 1993, p. 37).

55 **Vue de Martigny**

vers 1826
Crayon et aquarelle sur papier
25,4 × 28,6 cm
Filigrane; 1826
Tate Gallery, Legs Turner; CCLXXX 154, D27671

Cette vignette de Martigny figure ici pour souligner un autre aspect de l'usage ultérieur, par Turner, des dessins exécutés lors du Grand Tour de 1802. Il importe de les distinguer des aquarelles achevées, réalisées sur commande ou pour des expositions. Elaborée à partir du dessin précédent, la vignette en question était destinée, parmi d'autres, à illustrer le poème *Italie* de Samuel Rogers. Publié pour la première fois en 1821-1822 et en 1824, celui-ci n'avait connu qu'un succès d'estime. Rogers espérait que les illustrations de Turner relanceraient son œuvre en la présentant sous une forme attrayante. Inutile de préciser qu'il a été comblé dans ses attentes: l'édition illustrée, parue en 1830, a remporté un succès phénoménal, ce qui a permis à Turner de commencer une nouvelle carrière comme illustrateur de la littérature contemporaine. Le filigrane de cette feuille, portant la date de 1826, est une preuve importante permettant de situer avec exactitude la période à laquelle Turner s'est attelé à la tâche. Les sujets, qui comprenaient notamment des dessins de 1802, retouchés, figurant Aoste et l'Hospice du Grand-Saint-Bernard, avaient été choisis par Rogers; ce dernier, en outre, «avait suggéré le genre et la nature des images». Dans le poème *Italie*, Martigny sert de cadre à la partie intitulée «Marguerite de Tours»: une jeune Valdôtaine s'enfuit avec un «bourgeois de Martigny» dont elle s'est éprise. Une longue séparation d'avec son père s'ensuit, mais la jeune fille se décide à entreprendre un long et pénible voyage en montagne pour se réconcilier avec lui. Rogers associe son histoire à l'Auberge du Cygne, qui figure sur la vignette de Turner:

> And should I once again, as once I may,
> Visit MARTIGNY, I will not forget
> Thy hospitable roof, MARGUERITE DE TOURS;
> Thy sign the silver swan...*

Mais, comme le précise Ruskin (Cook & Wedderburn, XIII, p. 203), cette auberge fut aussi celle de Turner. Le cabriolet rangé à l'extérieur a dû lui rappeler sa propre arrivée à Martigny, de sorte que son expérience personnelle se fond avec les souvenirs imaginaires du poète. Toutefois, à l'époque de la publication (1830), Turner et Rogers pourraient avoir souhaité rendre hommage à l'aubergiste, toujours très populaire auprès des visiteurs anglais, qui avait péri tragiquement lors de pluies torrentielles (voir Jan Piggott, *Turner's Vignettes*, catalogue d'exposition de la Tate Gallery, 1993, p. 37).

* (Et si je devais, un jour, visiter à nouveau MARTIGNY, je n'oublierai pas ton toit hospitalier, MARGUERITE DE TOURS; ton enseigne, le cygne d'argent...)

CHEVAL LA CYGNE

56 **Martigny; Street below La Bâtiaz with a religious Procession**

1802
Pencil on brownish paper
20.9 × 28.2 cm
Inscribed at lower right: *Procession for Rain/ Priests with images preceded by/the Virgin with bells all the women with cravats white. . .*
Tate Gallery, Turner Bequest; LXXIV 87, D04580

A rapid, on-the-spot sketch from the *Grenoble* sketchbook, without subsequent additions in chalk or gouache. Despite its slightness, it is included as an example of Turner's interest in the local people and customs he encountered as he travelled. Several coloured sketches in a book used during this tour for figure studies (*Swiss Figures* sketchbook, Tate Gallery, Turner Bequest; LXXVIII) may relate to this or a similar procession, evidently held on a saint's feast day. Turner's inscription claims that the event is being held to pray for relief from drought. This sheet was evidently too slight to have been mounted in Turner's album, and lacks a descriptive label.

56 **Martigny; rue en dessous de La Bâtiaz, avec procession**

1802
Crayon sur papier brun
20,9 × 28,2 cm
Inscription en bas à droite: *Procession for Rain/ Priests with images preceded by/the Virgin with bells all the women with cravats white...* *
Tate Gallery, Legs Turner; LXXIV 87, D04580

Esquisse rapide exécutée sur place dans le *carnet de Grenoble*, sans ajouts ultérieurs de craie ou de gouache. Malgré sa légèreté, elle est présentée en tant qu'exemple de l'intérêt de Turner pour les habitants et les coutumes locales découverts au cours de son voyage. Plusieurs esquisses colorées figurant dans un carnet utilisé, durant son périple, pour l'étude de personnages (*carnet des Personnages suisses*, Tate Gallery, Legs Turner; LXXVIII) pourraient se rapporter à cette procession ou à une autre, vraisemblablement liée à la fête d'un saint local. L'inscription de Turner précise que la manifestation se déroule en prière, afin de faire venir la pluie. De toute évidence, le dessin a été estimé trop léger pour être monté dans l'album de Turner, et il ne possède pas d'étiquette descriptive.

* *Procession pour la pluie/Prêtres avec des bannières précédés par/la Vierge avec des cloches toutes les femmes avec des foulards blancs...*

Chillon, Thun, Brienz, Grindelwald
Chillon, Thoune, Brienz, Grindelwald

57 Chillon from the Lake of Geneva at Clarens

1802
Pencil, black chalk and gouache on brownish paper
21.3×28.3 cm
Tate Gallery, Turner Bequest; LXXIV 42 (stamped 'U'), D04535

From Martigny Turner struck north to Lake Geneva, where from Montreux, near Clarens he took this view in his *Grenoble* sketchbook towards the castle of Chillon. His label reads *Lac de Geneve, from Vevay.* Ruskin owned a larger drawing, originally from the *St Gothard and Mont Blanc* sketchbook (untraced; W 358), which may have been a version of the same view; 'A few of the backs of the houses of the lovely old village, as they used to rise out of the lake,—the sun setting over Jura in the distance' (Cook & Wedderburn, XIII, p. 148). Both 1802 drawings probably helped to inform the finished watercolour of about 1809 acquired by Sir John Swinburne (British Museum; W 390).

57 Chillon, vu du lac de Genève à Clarens

1802
Crayon, craie noire et gouache sur papier brun
21,3×28,3 cm
Tate Gallery, Legs Turner; LXXIV 42 (estampillé «U»), D04535

De Martigny, Turner prend la direction du nord, vers le lac de Genève. C'est à Montreux, près de Clarens, qu'il dessine ce paysage sur le *carnet de Grenoble*, le regard tourné vers le Château de Chillon. L'étiquette mentionne *Lac de Geneve, from Vevay.* Ruskin possédait un dessin plus important, provenant du *carnet du Saint-Gothard et du Mont-Blanc* (non retrouvé; W 358), qui pourrait avoir été une version du même paysage; «quelques dos de maisons de ce ravissant vieux village, comme elles s'élevaient autrefois en bordure du lac… le soleil se couchant sur le Jura au loin» (Cook & Wedderburn, XIII, p. 148). Ces deux dessins de 1802 ont dû servir de référence pour l'aquarelle achevée vers 1809 que Sir John Swinburne a achetée (British Museum; W 390).

LXXIV – U

58 **Thun; Church and Castle from the Aare River Bank**

1802
Pencil and watercolour on paper
32.1 × 47.3 cm
Tate Gallery, Turner Bequest; LXXV 30, D04622

Turner had now come up the Aare valley from Berne to Thun, at the western end of its eponymous lake. Despite his predominant interest in mountain scenery, the picturesque architecture of the town and the beauty of the nearby lake occupied his attention in this study in his *St Gothard and Mont Blanc* sketchbook and in other smaller sheets. His label reads *Ville de Thun.* The castle is 12th century and the adjoining church the Protestant parish church (rebuilt in 1738 by an older tower).

58 **Thoune; église et château, vus des berges de l'Aar**

1802
Crayon et aquarelle sur papier
32,1 × 47,3 cm
Tate Gallery, Legs Turner; LXXV 30, D04622

Turner a remonté la vallée de l'Aar de Berne à Thoune, situé à l'extrémité ouest du lac du même nom. Malgré son intérêt majeur pour les paysages de montagne, l'architecture pittoresque de la ville et la beauté du lac tout proche ont retenu son attention pour cette étude du *carnet du Saint-Gothard et du Mont-Blanc* et pour d'autres feuillets plus petits. L'étiquette de Turner mentionne *Ville de Thun.* Le château est du XIIe siècle et l'église voisine est le temple protestant de la paroisse (reconstruit en 1738 près d'une tour plus ancienne).

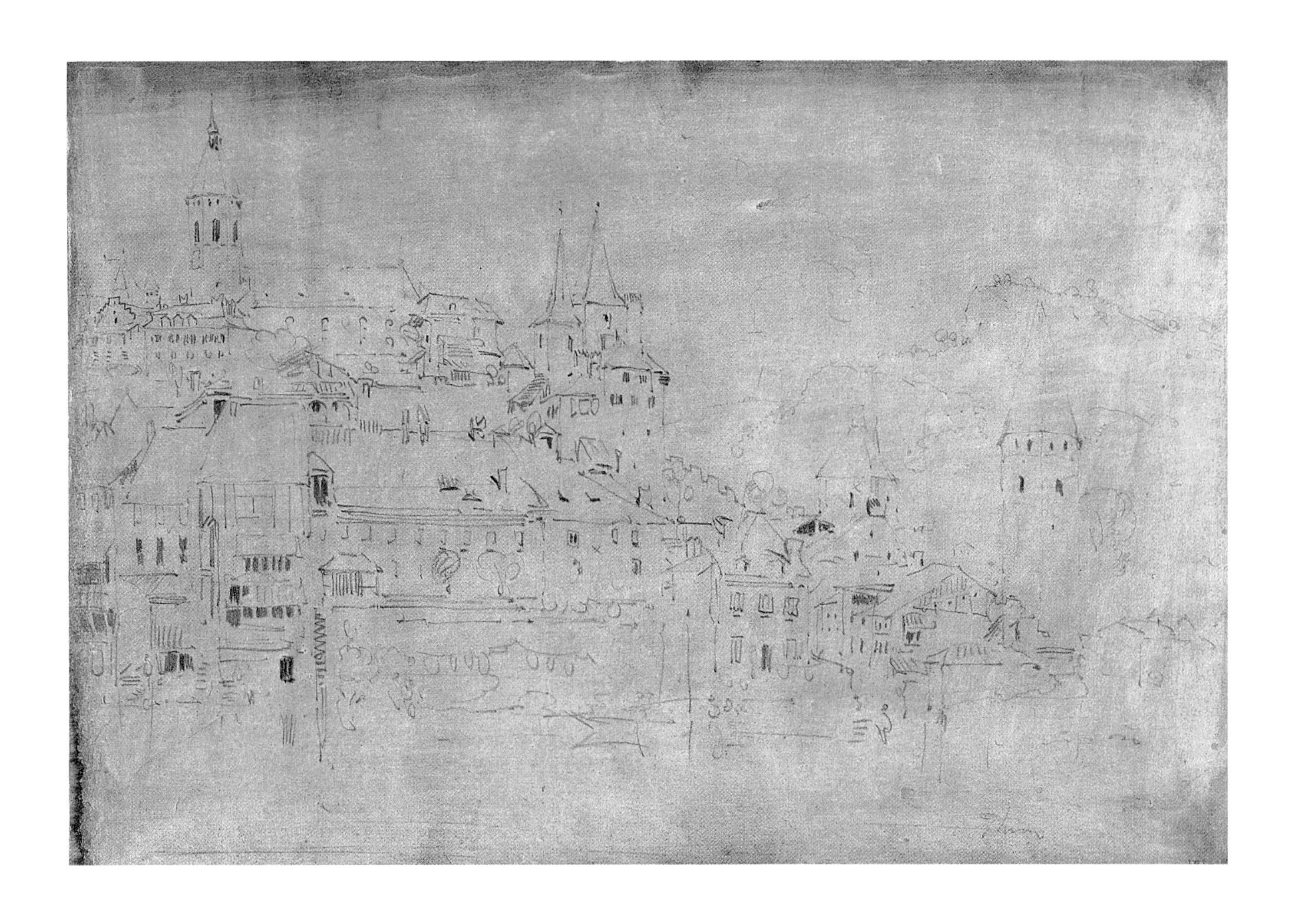

59 **Lake of Thun, from Unterseen**

1802
Pencil, black chalk and watercolour on paper prepared with a grey wash
32.5 × 47.8 cm
The Whitworth Art Gallery, University of Manchester (WAG.D.1925.58)

Sending the cabriolet ahead to await him at Unterseen, Turner crossed Lake Thun by boat; it would have taken some three hours to be rowed across in one of the long ferries from Thun. Here, in a sheet originally in the *St Gothard and Mont Blanc* sketchbook but acquired from it by Ruskin, he has developed a sketch begun at the landing stage at Neuhaus, where he disembarked; another ferry is making ready to leave. Storm clouds are gathering over the Niesen on the left, but Turner probably made this and several other related views from the shelter of the 'cabaret' or hut beside the landing stage. A pencil sketch in the smaller *Lake Thun* sketchbook that Turner had bought in Berne (Tate Gallery, Turner Bequest; LXXVI, p. 60) was later developed into a finished watercolour that was acquired by Walter Fawkes (private collection; W 373); in this Turner shows lightning over the lake, recalling the outcome of the storm shown gathering in the present drawing. When he lent it to the Fine Art Society in London in 1878, Ruskin used this drawing as the basis of a wider evaluation of Turner's 1802 studies—and especially those (six in all) that he had managed to acquire from the *St Gothard and Mont Blanc* sketchbook: 'This drawing begins the series which I hold myself greatly fortunate in possessing, of studies illustrative of the first impression made on Turner's mind by the Alps. To most men of the age. . .they are entirely delightful and exhilarating; to him they are an unbroken influence of gloomy majesty, making him thenceforth of entirely solemn heart in all his work, and giving him conception of the vastness and rock-frame of the earth's mass' (Cook & Wedderburn, XIII, p. 417).

59 **Le Lac de Thoune, vu d'Unterseen**

1802
Crayon, craie noire et aquarelle sur papier préparé au lavis gris
32,5 × 47,8 cm
The Whitworth Art Gallery, Université de Manchester (WAG.D.1925.58)

Envoyant le cabriolet l'attendre à Unterseen, Turner traverse le lac de Thoune en bateau. La traversée du lac à la rame au départ de Thoune, dans l'un des bacs de forme oblongue, doit avoir pris environ trois heures. Ici, sur une feuille à l'origine dans le *carnet du Saint-Gothard et du Mont-Blanc*, achetée par Ruskin, Turner exploite une esquisse commencée au débarcadère de Neuhaus, où il a accosté; un autre bac est sur le point d'appareiller. Des nuages d'orage s'amoncellent sur la gauche au-dessus du Niesen, mais Turner a certainement réalisé ce dessin et plusieurs autres paysages apparentés de l'abri de la cahute, ou «cabaret», proche du débarcadère. Une esquisse au crayon du *carnet du lac de Thoune*, plus petit, que Turner avait acheté à Berne (Tate Gallery, Legs Turner; LXXVI, p. 60), a évolué plus tard en une aquarelle achevée, acquise par Walter Fawkes (collection particulière; W 373); Turner y montre les éclairs sur le lac, illustrant la suite de l'orage qui se prépare dans le présent dessin. En 1878, lorsque Ruskin l'a prêté à la Fine Art Society de Londres, il s'en est servi pour procéder à une évaluation plus étendue des études de 1802 de Turner, tout particulièrement celles (six en tout) du *carnet du Saint-Gothard et du Mont-Blanc* qu'il était parvenu à acquérir: «Ce dessin amorce une série d'études que j'ai, je le reconnais, le grand bonheur de posséder, illustrant bien la première impression que les Alpes ont provoquée dans l'esprit de Turner. Pour la plupart des hommes de ce siècle … elles les transportent, les enchantent. Pour lui, elles représentent un flux constant de majesté mélancolique, le rendant toujours profondément solennel, dans chacune de ses œuvres, lui donnant à ressentir l'immense architecture rocheuse de la masse terrestre» (Cook & Wedderburn, XIII, p. 417).

60 **Lake of Thun**

*c.*1808
Watercolour on paper
27 × 39 cm
Private Collection
[Exhibited Martigny only]

As described in the preceding entry, Turner worked up this subject, in the watercolour acquired by Walter Fawkes, from a pencil sketch in his *Lake Thun* sketchbook (Tate Gallery, Turner Bequest; LXXVI, p. 60), adding the striking effect of a storm with a bolt of lightning above the Stockhorn. A variant of the composition was included in Turner's *Liber Studiorum* (1808).

60 **Lac de Thoune**

vers 1808
Aquarelle sur papier
27 × 39 cm
Collection particulière
[Exposé seulement à Martigny]

Comme décrit dans la précédente notice, Turner a retravaillé ce sujet, dans l'aquarelle acquise par Walter Fawkes, à partir d'un dessin au crayon figurant dans son *carnet du lac de Thoune* (Tate Gallery, Legs Turner; LXXVI, p. 60). L'artiste montre, avec un effet saisissant, l'orage qui éclate, et la foudre qui nimbe le sommet du Stockhorn. Une variante de cette composition était incluse dans le *Liber Studiorum* (1808) de Turner.

61 **The Lower Glacier, Grindelwald, with the Eiger**

1802
Pencil, black chalk and gouache on brownish paper
21 × 28.2 cm
Tate Gallery, Turner Bequest; LXXIV 44, D04537

Ruskin's remarks above seem particularly pertinent to this sheet, from the *Grenoble* sketchbook, in which Turner has studied the thrust of the glacier through a dark forest below the jagged and icy peaks of the Eiger. He had now come to Grindelwald from Lauterbrunnen, up the Lütschenthal*, the inferior part of the valley of the Schwarze Lütschine; in other sketches he surveyed the mountain from the meadows above the village, but here, standing close to the lower glacier, his more compressed and restricted view only emphasises its power and the sharpness of its peaks. The drawing has the same intensity, and sense of the savagery of nature, as his studies at Chamonix. Turner's label reads *Rosenlaui* [*sic*].

* *Thal* or *Tal* means 'valley'.

61 **Glacier inférieur, Grindelwald, avec l'Eiger**

1802
Crayon, craie noire et gouache sur papier brun
21 × 28,2 cm
Tate Gallery, Legs Turner; LXXIV 44, D04537

Les remarques de Ruskin qui précèdent semblent particulièrement s'appliquer à cette page du *carnet de Grenoble*, sur laquelle Turner étudie la poussée du glacier au travers d'un bois sombre sous les pics déchiquetés et givrés de l'Eiger. Il arrive à Grindelwald de Lauterbrunnen, après avoir monté le Lütschenthal*, la partie inférieure de la vallée de la Lütschine noire. D'autres dessins montrent la montagne vue des pâturages au-dessus du village, mais ici, tout près du glacier inférieur, le champ de vision restreint ne fait que renforcer la force et l'acuité des pics. Ce dessin possède la même intensité, procure la même impression de sauvagerie naturelle que ses études de Chamonix. L'étiquette de Turner donne *Rosenlaui [sic].*

* *Thal* ou *Tal* signifie «vallée».

62 **Ringgenberg Castle, Lake of Brienz**

1802
Pencil and black chalk on brownish paper
21.3 × 28.4 cm
Tate Gallery, Turner Bequest; LXXIV 46, D04539

After pausing overnight at Grindelwald, Turner had crossed the Great Scheidegg to Meiringen; once again he would have transferred to the back of a mule and sent the cabriolet ahead to meet him at Brienz as he explored the scenery around the Reichenbach falls. The shore and surface of the Lake of Brienz made a strong impression, doubtless as a contrast to the wilder mountain terrain above, and he was later to prepare no less than five finished watercolours of the lake scenery, including one of this subject, acquired by Walter Fawkes (Taft Museum, Cincinnati, Ohio; W 388). Turner had made an excursion out on to the lake to draw the castle, whose ruins stand above its village on a kind of rocky platform overlooking the water. This sheet, from the *Grenoble* sketchbook, was probably not begun on the spot in the boat, but is likely to be an intermediate composition study based on pencil sketches in the smaller *Rhine, Strasburg and Oxford* sketchbook (Tate Gallery, Turner Bequest; LXXVII 17 verso) that Turner would have found more convenient to use on a boat.

62 **Château de Ringgenberg, lac de Brienz**

1802
Crayon et craie noire sur papier brun
21,3 × 28,4 cm
Tate Gallery, Legs Turner; LXXIV 46, D04539

Après une halte pour la nuit à Grindelwald, Turner traverse la Grande Scheidegg jusqu'à Meiringen. Il aura à nouveau envoyé le cabriolet l'attendre à Brienz, et enfourché un mulet pour explorer les paysages autour des chutes du Reichenbach. Le rivage et les eaux du lac de Brienz lui font grande impression, certainement par contraste avec le décor montagneux plus sauvage qui surplombe ce dernier; il préparera plus tard pas moins de cinq aquarelles achevées avec le lac pour sujet, dont l'une reprend ce paysage, et qui sera achetée par Walter Fawkes (Taft Museum, Cincinnati, Ohio, Etats-Unis; W 388). Turner a fait une croisière sur le lac pour dessiner le château, dont les ruines surplombent le village sur une sorte de plate-forme rocheuse dominant le lac. Ce dessin du *carnet de Grenoble* n'a sans doute pas été commencé à bord du bateau; il s'agit probablement d'une étude intermédiaire fondée sur des esquisses au crayon du *carnet Rhin, Strasbourg et Oxford*, plus petit (Tate Gallery, Legs Turner; LXXVII 17 verso), que Turner aura trouvé plus facile à utiliser à bord d'un bateau.

63 **The Lake of Brienz from the Quay**

1802
Pencil, black chalk and gouache on brownish paper
21.6 × 28.3 cm
Tate Gallery, Turner Bequest; LXXIV 43 (stamped 'I'), D04536

Another sheet from the *Grenoble* sketchbook, and like the preceding probably not begun on the spot but worked up from a pencil sketch in the *Rhine, Strasburg and Oxford* sketchbook (*loc. cit.*, 38), taken looking across the lake to the Faulhorn range. Turner's label reads *Lac de Brientz Suise* [*sic*]. Turner used the composition for a finished watercolour signed and dated 1809 made for his patron, Edward Swinburne (British Museum; W 386); another label in the set belonging with the *Grenoble* drawings is inscribed by the artist *E Swinburne/30 G – 1/2 the Clyde*, indicating a commission at thirty guineas for a watercolour approximately half the size of one of the Falls of the Clyde—presumably the watercolour exhibited in 1802 (Walker Art Gallery, Liverpool; W 343).

63 **Le Lac de Brienz, vu du quai**

1802
Crayon, craie noire et gouache sur papier brun
21,6 × 28,3 cm
Tate Gallery, Legs Turner; LXXIV 43 (estampillé «I»), D04536

Une autre page du *carnet de Grenoble* et, comme la précédente, sans doute pas commencée sur place mais retravaillée à partir d'une esquisse au crayon du *carnet Rhin, Strasbourg et Oxford* (*loc. cit.*, 38). Le regard traverse le lac en direction de la chaîne du Faulhorn. L'étiquette de Turner mentionne *Lac de Brientz Suise [sic]*. Turner utilisera cette œuvre pour une aquarelle achevée, signée et datée de 1809, réalisée pour son client, Edward Swinburne (British Museum; W 386); une autre étiquette du lot rattaché aux dessins du *carnet de Grenoble* indique, de la main de l'artiste, *E Swinburne/30 G – 1/2 the Clyde*, signalant une commande de trente guinées pour une aquarelle au format inférieur d'environ la moitié d'une autre représentant les chutes de la Clyde, sans doute celle présentée en 1802 (Walker Art Gallery, Liverpool; W 343).

64 **Lake of Brienz**

*c.*1809
Pencil and watercolour on paper
29.6 × 44 cm
Tate Gallery, Turner Bequest; LXXX C, D04896

A later colour study, based on a drawing from the *Grenoble* sketchbook (Tate Gallery, Turner Bequest; LXXIV 50, D04543), made in connection with a finished watercolour of *c.*1809 acquired by Thomas Wright (Bowood Collection; W 391). The view is in the direction of the castle of Ringgenberg, which, however, is lost in hazy light.

64 **Lac de Brienz**

vers 1809
Crayon et aquarelle sur papier
29,6 × 44 cm
Tate Gallery, Legs Turner; LXXX C, D04896

Etude colorée plus tardive, fondée sur un dessin du *carnet de Grenoble* (Tate Gallery, Legs Turner; LXXIV 50, D04543), réalisée en rapport avec une aquarelle achevée vers 1809, achetée par Thomas Wright (Collection Bowood; W 391). Le regard porte vers le Château de Ringgenberg, qui se perd toutefois dans une lumière tamisée.

65 **Lake of Brienz near Ringgenberg**

1802
Pencil on paper prepared with a grey wash
32×47.6 cm
Inscribed near lower left corner: *Brienz*
Tate Gallery, Turner Bequest; LXXV 56, D04648

In this sheet from the *St Gothard and Mont Blanc* sketchbook Turner has begun to develop a view of the lake with delicate effects suggesting dusk or even moonlight—perhaps a recollection of an excursion across the water from which he did not return till late. His label reads *River Aarv Lac de Brienz Swifs* [*sic*].

65 **Le Lac de Brienz, près de Ringgenberg**

1802
Crayon sur papier préparé au lavis gris
32×47,6 cm
Inscription près de l'angle inférieur gauche: *Brienz*
Tate Gallery, Legs Turner; LXXV 56, D04648

Sur cette page du *carnet du Saint-Gothard et du Mont-Blanc*, Turner a commencé à travailler une vue du lac, avec de délicats effets suggérant le crépuscule ou même le clair de lune, peut-être en souvenir d'une excursion sur le lac dont il n'était pas rentré avant la tombée du jour. L'étiquette fournie par Turner annonce *River Aarv Lac de Brienz Swifs [sic].*

The St Gothard Pass
Le col du Saint-Gothard

66 **A Ravine in the St Gothard Pass**

1802

Pencil, watercolour and gouache on paper prepared with a grey wash

31.8×47.5 cm

Tate Gallery, Turner Bequest; LXXV 35, D04627

After staying a night or two at Brienz, Turner crossed the Brünig Pass to Lucerne. The lake, with its beautiful views towards Brunnen, Flüelen or the Bay of Uri, and especially the Rigi mountain, were to be favourite subjects when Turner returned to Switzerland for summer holidays in the 1840s. On these later visits Turner was content to relax and observe the views from the comfort of his hotel, but in 1802 he still had one more stretch of challenging mountain scenery to explore—following the Reuss valley through Altdorf to Amsteg and then up to Wassen and into the St Gothard—before retracing his steps on the journey home through Zurich and the Rhine valley. Long famous for its wild scenery and precarious passage over narrow bridges—negotiated by generations of travellers on their way to Italy from the north—the pass had played a key role in recent history, having witnessed hard fighting between the French and Russians, culminating in a celebrated encounter at the most hair-raising point, the Devil's Bridge. The close attention Turner paid to the St Gothard in 1802, and the number of works in oil and watercolour that he afterwards finished or began from his initial drawings, reflects both its traditional status as a defining experience of Alpine horrors and thrills, and its current topicality. Turner's St Gothard drawings, made in his large sketchbook, were clearly mainly made with pictures in mind, but here, probably somewhere above Wassen, he seems engaged in some more private dialogue with the surface of the rock and the tortured forms of the trees that he would later describe as 'bad for a painter'. This closely focused study of pines clinging to a rocky gorge, whose sides are alternately sunlit and in deep shadow, is one of the most extraordinary drawings of the 1802 tour, remarkably modern in its concern with organic form and in its energetic technique. It is also among the most developed of the sheets from the *St Gothard and Mont Blanc* sketchbook, having been washed over with dense and vivid colours. Its uncompromising and (in any conventional sense at the time) unpictorial character must, however, have prevented it from being chosen as the basis of a finished watercolour. Turner's label reads *St Gothard*, and carries a subsequent note by Ruskin identifying it as *Title of Cloudy Pines.*

66 **Ravin au col du Saint-Gothard**

1802

Crayon, aquarelle et gouache sur papier préparé au lavis gris

31,8×47,5 cm

Tate Gallery, Legs Turner; LXXV 35, D04627

Après être resté une nuit ou deux à Brienz, Turner passe le col du Brünig pour rejoindre Lucerne. Avec ses vues magnifiques vers Brunnen, Flüelen ou la baie d'Uri, notamment le massif montagneux du Rigi, le lac a dû être un sujet de prédilection pour Turner lorsqu'il retournerait en Suisse pour ses vacances d'été dans les années 1840. A l'occasion de ces séjours, Turner se contenterait de se détendre et de regarder la vue tout en profitant du confort de son hôtel, mais, en 1802, il avait encore un défi à relever: celui d'explorer une région montagneuse, en suivant la vallée de la Reuss par Altdorf jusqu'à Amsteg, puis en montant à Wassen et au cœur du Saint-Gothard, avant de reprendre le chemin du retour par Zurich et la vallée du Rhin. Célèbre depuis longtemps pour ses paysages sauvages et ses passages périlleux sur des ponts étroits, empruntés par des générations de voyageurs venant du nord en route pour l'Italie, le col venait de jouer un rôle essentiel dans l'histoire récente, témoin de combats acharnés entre Français et Russes, culminant dans une bataille célèbre à l'emplacement le plus vertigineux, le Pont du Diable. En 1802, l'attention extrême portée au Saint-Gothard par Turner et le nombre d'œuvres (huiles sur toile et aquarelles) qu'il a achevées par la suite ou commencées à partir de ses dessins originaux reflètent à la fois le statut conventionnel du lieu comme une expérience type des angoisses et émotions alpines, et son actualité à l'époque. Les dessins du Saint-Gothard, réalisés dans le grand carnet de croquis, ont été manifestement exécutés pour l'essentiel avec l'idée de recueillir des «images», mais ici, sans doute quelque part au-dessus de Wassen, Turner semble engagé dans un dialogue plus intime avec la surface des rochers et les formes torturées des arbres, qu'il décrira plus tard comme «mauvais pour le peintre». Cette étude rapprochée de pins, accrochés à la paroi rocheuse d'un ravin dont les côtés sont alternativement inondés de soleil et plongés dans l'ombre, est l'un des dessins les plus remarquables du voyage de 1802, extraordinairement moderne dans son souci «organique» de la forme et sa technique vibrant d'énergie. Elle fait aussi partie des œuvres les plus élaborées du *carnet du Saint-Gothard et du Mont-Blanc*, Turner l'ayant recouverte de couleurs denses et vives. Son caractère sans concession et non pictural (dans tous les sens conventionnels de l'époque) l'a sans doute empêchée d'être choisie comme base d'une aquarelle achevée. L'étiquette donnée par Turner annonce *Saint-Gothard*, et comporte une inscription ultérieure de Ruskin qui l'identifie comme *Title of Cloudy Pines*, que l'on pourrait traduire par *Titre des pins dans les nuages.*

67 **The St Gothard Road between Amsteg and Wassen**

*c.*1803 or 1814-5
Pencil, watercolour and gouache on paper
67.5 × 101 cm
Tate Gallery, Turner Bequest; LXXXD, D04897

This magnificent watercolour is probably a work left unfinished, rather than a composition or tonal study. Like his view of Bonneville exhibited in 1803 (see fig. 6, p. 27) and its later version in watercolour, Turner has emphasised the road driving forward into the pass as the main dynamic of his composition, bisected by the diagonal of the gorge, rising to the left and plunging down to the Reuss on the right; the importance of the route as an approach to Italy is marked by the group of travellers, perhaps friars or pilgrims on their way to Rome. The play of strong sunlight, billowing clouds and the contrasted, crossing forms of live and dead trees fill the scene with dramas of their own; but the mood seems bright, excited, in contrast to the sombre introspection of many of the 1802 drawings. Turner's imagination was strongly inclined to contrasts and comparisons, and it has been suggested that he began this subject as a pair to his watercolour *Glacier and Source of the Arveron* (New Haven, Conn., Yale Center for British Art, Paul Mellon Collection); it would thus have been intended for the Royal Academy exhibition in 1803, and would have represented the familiar and inhabited aspects of the Alpine landscape in contrast to the empty wilderness of the glaciers. Certainly it matches the *Arveron* closely in size; but while somewhat taller, it is perhaps closer compositionally, and more apt in comparison, to the *Battle of Fort Rock* exhibited in 1815 (cat. no. 41). This pairing would contrast the enduring function of an Alpine pass as a conduit for peaceful travel and pilgrimage, with its recent role as a battle ground.

67 **La Route du Saint-Gothard entre Amsteg et Wassen**

vers 1803 ou 1814-1815
Crayon, aquarelle et gouache sur papier
67,5 × 101 cm
Tate Gallery, Legs Turner; LXXXD, D04897

Cette magnifique aquarelle est probablement une œuvre inachevée plus qu'une composition ou une étude de couleurs. Comme pour la vue de Bonneville, exposée en 1803 (voir fig. 6, p. 27), et sa version ultérieure à l'aquarelle, Turner a mis en valeur la route qui s'enfonce en direction du col, dynamique de la composition, coupée en deux par la diagonale du relief de la gorge, qui s'élève sur la gauche pour plonger vers la Reuss sur la droite. L'importance de cette route comme voie d'approche pour l'Italie est marquée par le groupe de voyageurs, peut-être des moines ou des pèlerins sur le chemin de Rome. La lumière intense du soleil, les nuages ondoyants, les arbres vivants et morts dont les formes se croisent et s'opposent, tout cela confère une tension dramatique à la scène, mais l'humeur semble gaie, enlevée, contrairement à la sombre introspection de bon nombre des dessins de 1802. L'imagination de Turner penchait fortement vers le contraste et la comparaison. On a émis l'hypothèse qu'il avait commencé ce sujet pour servir de pendant à son aquarelle *Glacier et source de l'Arveyron* (New Haven, Conn., Yale Center for British Art, Paul Mellon Collection). La présente aquarelle aurait donc été prévue pour l'exposition de 1803 à l'Académie royale et aurait représenté l'aspect familier et vivant des paysages alpins par opposition à la solitude sauvage des glaciers. En effet, son format correspond pratiquement à celui de l'*Arveyron.* Mais, tout en étant à peine plus haute, elle est plus proche, sur le plan de la composition, de la *Bataille de Fort Roch,* exposée en 1815 (cat. n° 41), et se prête mieux à une comparaison avec celle-ci. Ce rapprochement des deux œuvres mettrait en contraste la fonction intemporelle d'un col alpin, passage serein pour voyageurs et pèlerins, avec son rôle récent de champ de bataille.

The Schöllenen gorges above Wassen, with their steep and dark flanks of jagged rock plunging down to the Reuss, and the sudden turn where the narrow path crossed over the even narrower Devil's Bridge, marked the end—and proved a fitting climax—to Turner's tour of the St Gothard. He was determined to extract the maximum pictorial drama from this famous site, conscious of its commercial potential for patrons with experience of travel or an interest in the recent events of the war. In one pencil sketch in his *St Gothard and Mont Blanc* sketchbook (Tate Gallery, Turner Bequest; LXXV 37) he took a fairly distant view from the Andermatt road, showing how the gorge broadens out and the bridge is approached over a road supported by narrower arches. This, while providing him with a record of the context for the bridge, nevertheless dissipated its dramatic impact, and was not developed further. Instead he concentrated on this and the following, in which he turned the sketchbook around to work on upright format, from the approach road closer to the bridge, here, and from the bridge itself. These more concentrated views, which afford almost no glimpse of the sky, enhance the depth and steepness of the gorge. In both drawings, Turner includes tiny figures further to exaggerate the scale of their surroundings. In working up these sheets, he paid special attention to matching the blue-grey tone of the granite, and the billowing clouds that roll and spiral upwards as winds from the lake are funnelled through the narrowest and highest defiles. Turner has also made good use of his habitual practice of scratching out, chiselling the paper, while dampened by his washes, with a finger nail or the handle of his brush to suggest the tiny rivulets of waterfalls cascading down to the river bed. Both sheets have long been admired, both for their interpretative power and their vivid execution, although Ruskin, who helped launch their fame by including them in his early Turner exhibitions at the National Gallery, considered this one 'curiously bad' (Cook & Wedderburn, XIII, p. xxxix). The bridge Turner drew was very new, having just been rebuilt after its destruction during the fighting between the French and the Russians in September 1799. General Suvorov's victory is today marked by a stone cross. In the 1830s Turner's bridge was replaced, and the new one was itself superseded in 1955-6. In 1803 or 1804, Turner made an oil painting based on this drawing (private collection; B & J 147), together with another based on the following, probably for his patron, John Allnutt. This showed a column of soldiers with laden mules proceeding along the path and nervously crossing the bridge; their white uniforms identify them as Russians.

Les gorges de Schöllenen au-dessus de Wassen, dont les parois sombres et vertigineuses aux roches déchiquetées plongent dans la Reuss, et le coude abrupt, où l'étroit sentier traverse le pont encore plus étroit du Diable, marquent, dans un paroxysme opportun, la fin du périple de Turner. Celui-ci a la ferme intention, sur le plan pictural, de tirer le maximum d'intensité dramatique de ce site célèbre; il est conscient de son potentiel commercial pour des clients qui ont voyagé ou qui s'intéressent aux récents développements de la guerre. Dans un dessin au crayon du *carnet du Saint-Gothard et du Mont-Blanc* (Tate Gallery, Legs Turner; LXXV 37), il dessine une vue assez éloignée de la route d'Andermatt, montrant comment la gorge s'élargit et comment le pont peut être rejoint par une voie soutenue par des arches plus étroites. Cette manière de faire donne à Turner une image de l'environnement général du pont, mais en réduit considérablement l'impact dramatique; c'est la raison pour laquelle il ne développera pas ce dessin. En revanche, il s'attache au présent croquis et au suivant, pour lequel il tourne le carnet pour travailler en format vertical, traitant ici la route d'approche près du pont, et le pont lui-même. Ces vues plus ramassées, qui ne permettent pratiquement pas d'apercevoir le ciel, soulignent la profondeur et la verticalité de la gorge. Aux deux dessins, Turner ajoute de minuscules personnages pour exagérer la dimension des éléments naturels. Lorsqu'il retravaille ces pages, il est particulièrement attentif à assortir le ton bleu-gris du granit aux nuages qui roulent et s'élèvent en spirale, alors que le vent venu du lac s'engouffre par le défilé le plus haut et le plus étroit. Turner fait aussi bon usage de sa pratique habituelle, qui consiste à gratter le papier, à le buriner, tandis qu'il est encore humide de lavis, avec l'ongle ou le manche de son pinceau, pour suggérer les minuscules filets d'eau des chutes qui cascadent jusque dans le torrent. Depuis longtemps, ces deux dessins suscitent l'admiration, à la fois pour leur puissance évocatrice et la brillance de leur exécution. Pourtant, Ruskin, qui a contribué à leur célébrité en les incluant dans ses premières expositions sur Turner à la National Gallery, trouvait le présent dessin «étrangement mauvais» (Cook & Wedderburn, XIII, p. xxxix). Le pont que dessine Turner est tout récent. Il vient d'être rebâti, après sa destruction au cours des combats entre Français et Russes de septembre 1799. La victoire du général Souvorov est marquée aujourd'hui par une croix de pierre. Dans les années 1830, le pont de Turner a été remplacé; il a fait place à un nouveau en 1955-1956. En 1803 ou 1804, Turner a réalisé une huile sur toile à partir de ce dessin (collection particulière; B & J 147), ainsi qu'une autre fondée sur le suivant, toutes deux probablement destinées à son client, John Allnutt. Elle montre une colonne de soldats, dont les uniformes blancs signalent que ce sont des Russes, et des mules de bât avançant le long du chemin et traversant le pont avec précaution.

68 **The Devil's Bridge, near Andermatt**

1802
Pencil, watercolour and gouache on paper prepared with a grey wash
47.1×31.8 cm
Tate Gallery, Turner Bequest; LXXV 34, D04626

68 **Le Pont du Diable, près d'Andermatt**

1802
Crayon, aquarelle et gouache sur papier préparé au lavis gris
47,1×31,8 cm
Tate Gallery, Legs Turner; LXXV 34, D04626

69 **The Schöllenen Gorge from the Devil's Bridge**
1802
Pencil, watercolour and gouache on paper prepared with a grey wash
47×31.4 cm
Tate Gallery, Turner Bequest; LXXV 33, D04625

Here Turner has positioned himself on the bridge itself, looking back towards the first twist in the Schöllenen gorges. Two finished works were based on this drawing, the watercolour described below, and an oil (Birmingham City Art Gallery; B & J 146). These show slight variations, the oil lacking the mules seen in the watercolour and giving prominence to a figure praying at a wayside cross at a critical turn in the path, where it stands out in contrast to the cloud filling the gorge. The picture was probably commissioned, like the oil version of the preceding, by John Allnutt, but the relationship between the two works has never been certainly established, and it is not known whether he placed his order independently of Turner's exhibition in his own gallery in 1804, which included the following, or because having seen it he decided he would prefer a version in oil.

69 **Les Gorges de Schöllenen, vues du Pont du Diable**
1802
Crayon, aquarelle et gouache sur papier préparé au lavis gris
47×31,4 cm
Tate Gallery, Legs Turner; LXXV 33, D04625

Ici, Turner se tient sur le pont et se retourne en direction du premier coude des gorges de Schöllenen. Deux œuvres achevées proviennent de ce dessin: l'aquarelle décrite ci-après et une huile sur toile (Birmingham City Art Gallery; B & J 146). Elles présentent de légères variations: les mules de l'aquarelle n'apparaissent pas sur la toile, qui met l'accent sur un personnage en prière au pied d'une croix à un détour périlleux du chemin, se détachant sur un fond de nuages qui remplissent la gorge. La toile a sans doute été commandée, comme la version à l'huile du dessin précédent, par John Allnutt, mais le lien entre les deux œuvres n'a jamais été établi avec certitude, et on ne sait pas si la commande a été faite indépendamment de l'exposition de 1804 de Turner dans sa galerie personnelle, qui comprenait le dessin ci-après, ou si Allnutt l'a passée après l'avoir vu, décidant qu'il en préférerait une version à l'huile.

70 **The Passage of Mount St Gothard, taken from the Centre of the Teufels Bruch (Devil's Bridge), Switzerland**

1804
Watercolour on paper
101 × 68 cm
Signed and dated at upper left: *I M W Turner RA 1804*
Abbot Hall Art Gallery, Kendal

Shown at the opening exhibition of Turner's Gallery in 1804, this magnificent watercolour was acquired by Walter Fawkes together with the equally impressive watercolour —also upright in format—of the Reichenbach falls exhibited at the same time (Cecil Higgins Art Gallery, Bedford; W 367). Based on the preceding, it is Turner's most evolved version of the subject. Capitalising alike on a new London fashion for large exhibition watercolours whose scale and technical power emulated oil painting, and on his fund of spectacular subject matter—the latter emphasised in the careful and descriptive title he attached to the work—Turner had clearly set out to produce a *tour de force*. Even allowing for some fading over time, the tonal intensity here, in the deep turquoise blue light shimmering in the gorge as if through the ice of a glacier, is extraordinary. It was on the basis of exhibited works like this, shown soon after his return, that Turner was able to command a steady flow of patronage for his Alpine subjects until at least the end of the decade; those impressed in the Royal Academy or in his gallery could then consult his album of background material and order other subjects—although as noted above, in the case of this particular composition, the relationship between this 1804 exhibit and the oil probably made for John Allnutt is unclear.

70 **Le Passage du mont Saint-Gothard pris du milieu du Teufelsbrücke (Pont du Diable), Suisse**

1804
Aquarelle sur papier
101 × 68 cm
Signé et daté en haut à gauche: *I M W Turner RA 1804*
Abbot Hall Art Gallery, Kendal

Présentée lors de l'exposition inaugurale de la galerie personnelle de Turner en 1804, cette magnifique aquarelle a été achetée par Walter Fawkes avec celle, tout aussi impressionnante, d'un format vertical analogue et exposée au même moment, représentant les chutes du Reichenbach (Cecil Higgins Art Gallery, Bedford; W 367). Tirée du dessin précédent, c'est la version la plus aboutie de ce paysage par Turner. Manifestement, l'artiste s'est volontairement attelé à ce que l'on pourrait appeler un tour de force, en s'appuyant sur le goût nouveau des Londoniens pour de grandes aquarelles d'exposition, dont la dimension et la puissance technique tentaient de concurrencer la peinture à l'huile, et aussi sur son fonds de sujets spectaculaires, renforçant ce dernier aspect avec le choix du titre, soigneusement descriptif, qu'il accolait à son œuvre. Même si le temps l'a légèrement affadie, l'intensité des tons n'en demeure pas moins remarquable, avec cette lumière d'un profond bleu turquoise qui vibre dans la gorge comme dans les crevasses d'un glacier. C'est la présentation, peu après son retour, de ce genre de travaux qui a permis à Turner de bénéficier d'un flux continuel de commandes pour ses paysages alpins, au moins jusqu'à la fin de l'année 1810. Les visiteurs de l'Académie royale ou de sa propre galerie qui étaient séduits pouvaient alors consulter son album de fonds d'images et passer commande d'autres sujets. Toutefois, comme précisé plus haut, le lien entre cette œuvre exposée en 1804 et l'huile sur toile qui aurait été réalisée pour John Allnutt demeure imprécis.

Photographic credits

Unless otherwise stated, photography is by Tate Gallery Photographic Department

Fig. 1 Bridgeman Art Library
Fig. 3 Staatsgalerie, Stuttgart
Fig. 5 Musée cantonal des Beaux-Arts, Lausanne / photo: J.-C. Ducret
Fig. 6 Agnews/Sydney W. Newbery

Frontispiece: *Martigny, c.*1826
John Webb

31
The Valley of Chamonix, Mont Blanc in the Distance, 1809
The Whitworth Art Gallery, University of Manchester

34
Blair's Hut on the Montenvers, 1806
Courtauld Gallery, London. Gordon H. Roberton, A.C. Cooper Ltd.

37
*Mont Blanc from above Courmayeur, c.*1806
Courtauld Gallery, London. A.C. Cooper Ltd.

38
St Huges denouncing Vengeance on the Shepherd of Cormayer, in the Valley of d'Aoust, 1803
By Courtesy of the Trustees of Sir John Soane's Museum

40
Fort Roch, Val d'Aosta, 1802
The Fitzwilliam Museum, Cambridge

59
Lake of Thun, from Unterseen, 1802
The Whitworth Art Gallery, University of Manchester

70
The Passage of Mount St Gothard, taken from the Centre of the Teufels Bruch (Devil's Bridge), Switzerland, 1804
Abbot Hall Art Gallery and Museum, Kendal

Crédits photographiques

Sauf mention spéciale, toutes les photos sont dues au Tate Gallery Photographic Department

Fig. 1 Bridgeman Art Library
Fig. 3 Staatsgalerie, Stuttgart
Fig. 5 Musée cantonal des Beaux-Arts, Lausanne / photo: J.-C. Ducret
Fig. 6 Agnews/Sydney W. Newbery

Frontispice: *Vue de Martigny,* vers 1826
John Webb

31
La Vallée de Chamonix, avec le Mont-Blanc dans le lointain, 1809
The Whitworth Art Gallery, Université de Manchester

34
La Cabane de Blair sur le Montenvers, 1806
Courtauld Gallery, Londres. Gordon H. Roberton, A.C. Cooper Ltd.

37
Le Mont-Blanc, vu d'au-dessus de Courmayeur, vers 1806
Courtauld Gallery, Londres. A.C. Cooper Ltd.

38
Saint Hugues invoquant la Vengeance sur le berger de Courmayeur, dans le val d'Aoste, 1803
By Courtesy of the Trustees of Sir John Soane's Museum

40
Fort Roch, val d'Aoste, 1802
The Fitzwilliam Museum, Cambridge

59
Le Lac de Thoune, vu d'Unterseen, 1802
The Whitworth Art Gallery, Université de Manchester

70
Le Passage du mont Saint-Gothard pris du milieu du Teufelsbrücke (Pont du Diable), Suisse, 1804
Abbot Hall Art Gallery and Museum, Kendal

Lenders
Prêteurs

Abbot Hall Art Gallery, Kendal 68

Courtauld Gallery, London 34, 37

The Fitzwilliam Museum, Cambridge 40

Sir John Soane's Museum, London 38

The Whitworth Art Gallery, University of Manchester 31, 58

Bibliography

Various authors, *Turner en France*, exh. cat., Centre Culturel du Marais, Paris, 1980.

John Russell & Andrew Wilton, *Turner in Switzerland*, Zurich, 1976.

Andrew Wilton, *Turner in his Time*, London, 1987.

See also catalogue for other works referred to in abbreviated form.

Bibliographie

Ouvrage collectif, *Turner en France*, catalogue d'exposition, Centre Culturel du Marais, Paris, 1980.

John Russell & Andrew Wilton, *Turner in Switzerland*, Zurich, 1976.

Andrew Wilton, *Turner et son temps*, Denoël, 1987.

Voir aussi le catalogue pour d'autres ouvrages mentionnés en abrégé.

Contents
Table des matières

Printed in Switzerland